普通高等教育"十一五"国家级规划教材

北大版对外汉语教材·基础教程系列

Boya Chinese

博雅汉语

初级
起步篇　Ⅰ

李晓琪　主编
任雪梅　徐晶凝　编著

北京大学出版社
PEKING UNIVERSITY PRESS

图书在版编目(CIP)数据

博雅汉语——初级·起步篇 I/李晓琪主编. —北京：北京大学出版社，2004.8
(北大版新一代对外汉语教材·基础教程系列)
ISBN 978-7-301-07529-6

Ⅰ.博…　Ⅱ.李…　Ⅲ.汉语-对外汉语教学-教材　Ⅳ.H195.4

中国版本图书馆 CIP 数据核字(2004)第 057338 号

书　　　　名：博雅汉语——初级·起步篇 I
著作责任者：李晓琪　主编　任雪梅　徐晶凝　编著
责 任 编 辑：吕幼筠
标 准 书 号：ISBN 978-7-301-07529-6/H·1029
出 版 发 行：北京大学出版社
地　　　　址：北京市海淀区成府路 205 号　　100871
网　　　　址：http://www.pup.cn
电　　　　话：邮购部 62752015　发行部 62750672　编辑部 62752028　出版部 62754962
电 子 邮 箱：lvyoujun99@yahoo.com.cn
印　刷　者：北京大学印刷厂
经　销　者：新华书店
　　　　　　787 毫米×1092 毫米　16 开本　16.75 印张　420 千字
　　　　　　2004 年 8 月第 1 版　2009 年 7 月第 10 次印刷
印　　　　数：34001—38000 册
定　　　　价：65.00 元(附 1 张 MP3)

目 录

1

4

前　言

　　语言是人类交流信息、沟通思想最直接的工具，是人们进行交往最便捷的桥梁。随着中国经济、社会的蓬勃发展，世界上学习汉语的人越来越多，对各类优秀汉语教材的需求也越来越迫切。为了满足各界人士对汉语教材的需求，北京大学一批长期从事对外汉语教学的优秀教师在多年积累的经验之上，以第二语言学习理论为指导，编写了这套新世纪汉语精品教材。

　　语言是工具，语言是桥梁，但语言更是人类文明发展的结晶。语言把社会发展的成果一一固化在自己的系统里。因此，语言不仅是文化的承载者，语言自身就是一种重要的文化。汉语，走过自己的漫长道路，更具有其独特深厚的文化积淀，她博大、她典雅，是人类最优秀的文化之一。正是基于这种认识，我们将本套教材定名为《博雅汉语》。

　　《博雅汉语》共分四个级别——初级、准中级、中级和高级。掌握一种语言，从开始学习到自由运用，要经历一个过程。我们把这一过程分解为起步——加速——冲刺——飞翔四个阶段，并把四个阶段的教材分别定名为《起步篇》（Ⅰ、Ⅱ）、《加速篇》（Ⅰ、Ⅱ）、《冲刺篇》（Ⅰ、Ⅱ）和《飞翔篇》（Ⅰ、Ⅱ、Ⅲ）。全套书共九本，既适用于本科的四个年级，也适用于处于不同阶段的长、短期汉语进修生。这是一套思路新、视野广，实用、好用的新汉语系列教材。我们期望学习者能够顺利地一步一步走过去，学完本套教材以后，可以实现在汉语文化的广阔天空中自由飞翔的目标。

　　第二语言的学习，在不同阶段有不同的学习目标和特点。《博雅汉语》四个阶段的编写既遵循汉语教材的一般性编写原则，也充分考虑到各阶段的特点，力求较好地体现各自的特色和目标。

起步篇

　　运用结构、情景、功能理论，以结构为纲，寓结构、功能于情景之中，重在学好语言基础知识，为"飞翔"做扎实的语言知识准备。

加速篇

　　运用功能、情景、结构理论，以功能为纲，重在训练学习者在各种不同情景中的语言交际能力，为"飞翔"做比较充分的语言功能积累。

冲刺篇

　　以话题理论为原则，为已经基本掌握了基础语言知识和交际功能的学习者提供经过精心选择的人类共同话题和反映中国传统与现实的话题，目的是在新的层次上加强对学习者运用特殊句型、常用词语和成段表达能力的培养，推动学习者自觉地进入"飞翔"阶段。

以语篇理论为原则,以内容深刻、语言优美的原文为范文,重在体现人文精神、突出人类共通文化,展现汉语篇章表达的丰富性和多样性,让学习者凭借本阶段的学习,最终能在汉语的天空中自由飞翔。

为实现上述目的,《博雅汉语》的编写者对四个阶段的每一具体环节都统筹考虑,合理设计。各阶段生词阶梯大约为 1000、3000、5000 和 10000,前三阶段的语言点分别为基本覆盖甲级、涉及乙级——完成乙级,涉及丙级——完成丙级,兼顾丁级。飞翔篇的语言点已经超出了现有语法大纲的范畴。各阶段课文的长度也呈现递进原则:600 字以内、1000 字以内、1500—1800 字、2000—2500 字不等。学习完《博雅汉语》的四个不同阶段后,学习者的汉语水平可以分别达到 HSK 的 3 级、6 级、8 级和 11 级。此外全套教材还配有教师用书,为选用这套教材的教师最大可能地提供方便。

综观全套教材,有如下特点:

针对性:使用对象明确,不同阶段采取各具特点的编写理念。

趣味性:内容丰富,贴近学生生活,立足中国社会,放眼世界,突出人类共通文化;练习形式多样,版面活泼,色彩协调美观。

系统性:词汇、语言点、语篇内容及练习形式体现比较强的系统性,与 HSK 协调配套。

科学性:课文语料自然、严谨;语言点解释科学、简明;内容编排循序渐进;词语、句型注重重现率。

独创性:本套教材充分考虑汉语自身的特点,充分体现学生的学习心理与语言认知特点,充分吸收现有外语教材的编写经验,力求有所创新。

我们希望《博雅汉语》能够使每个准备学习汉语的学生都对汉语产生浓厚的兴趣;使每个已经开始学习汉语的学生都感到汉语并不难学。学习汉语实际上是一种轻松愉快的体验,只要付出,就可以快捷地掌握通往中国文化宝库的金钥匙。我们也希望从事对外汉语教学的教师都愿意使用《博雅汉语》,并与我们建立起密切的联系,通过我们的共同努力,使这套教材日臻完善。

我们祝愿所有使用这套教材的汉语学习者都能取得成功,在汉语的天地自由飞翔!

最后,我们还要特别感谢北京大学出版社的郭力编审和其他同仁,谢谢他们的积极支持和辛勤劳动,谢谢他们为本套教材的出版所付出的心血和汗水!

李晓琪
2004 年 6 月于勺园
lixiaoqi@pku.edu.cn

编 写 说 明

本教材是《博雅汉语》系列精读教材的初级部分——《起步》篇，Ⅰ册适合零起点的学生使用，Ⅱ册适合已经掌握 500 左右生词的学生使用。

为了适应初级水平学生的学习需求，针对初级阶段教学的特点，本教材的编写采用了以结构为纲，寓结构、功能于情景之中的编写原则，力求为学生以后的学习打下比较坚实的语言基础。在内容的编写与选取方面，突出实用性，力求场景的真实自然：Ⅰ册主要围绕着学生的学习和生活进行，选取了包括校园及其他与学生的日常生活密切相关的场景，以帮助学习者尽快适应日常生活和学习的需要；Ⅱ册则离开课堂走向社会，并在后一阶段选编了一些富有人文性或趣味性的小文章，以使学生的视野和活动更加丰富多彩，帮助他们逐渐使用汉语表达较为复杂的思想。

为贯通《博雅汉语》的总目标，培养学习者的语言交际能力，在全书文体的安排上，Ⅰ册课文全部采用对话体，并在练习中适当增加语篇训练的内容。Ⅱ册的前半部分，课文仍采用对话体，并加以少量的短文形式，后半部分则完全采用短文体，为学习者向准中级阶段过渡做充分的准备。

本教材共选取词语 1200 多个，基本涵盖了《汉语水平词汇等级标准大纲》中的甲级词语；语言点则穷尽了大纲中的甲级语言项目，并涉及部分乙级语言项目；篇章的最后长度达到了 600 字左右。

全书共有 55 课，上册 30 课，下册 25 课，每五课为一个单元，第五课为单元总结复习课，对前四课出现的语言点进行复习和总结，不再出现新的语言点。此外为了加强本书的实用性，在 55 课以外，我们设立了单独的语音部分，教师在教学中可以针对学生的实际情况灵活掌握，为教学提供了一定的选择空间。

练习的设计原则是帮助学生逐步提高汉语整体综合能力。在Ⅰ册，我们将练习分为语音练习、词汇练习、语言点练习及课文、篇章练习，此外还有单独的汉字练习部分。练习涉及到听说读写各种技能的训练，使学生从开始阶段就潜移默化地全方位地接受汉语的熏陶。在Ⅱ册，增加了阅读理解练习。我们希望通过本书的学习，为学习者实现在汉语的天空中自由飞翔打下良好而坚实的基础，积蓄充足的能量和后劲。学生学完本套书以后，基本可以达到 HSK 的三级水平。

为了帮助使用本教材的老师更好地了解本书的编写原则及各课的目标，本教材还配备了教师手册。手册里所提供的教学操作步骤只是一个范例，教师完全可以根据自己的教学习惯及学生们的情况灵活使用。

本书的编写由两位老师合作完成，I册前十五课及汉字部分由任雪梅执笔，后十五课及语音部分、各课的语音练习部分由徐晶凝执笔，任雪梅负责统稿。II册前十三课由任雪梅执笔，后十二课由徐晶凝执笔，徐晶凝负责统稿。

在本书编写的过程中，得到了各方面的大力支持和帮助，主编李晓琪教授多次就教材的编写原则及许多细节问题和编者进行充分的沟通和讨论，出版社的吕幼筠老师也提出了很好的意见，付出了很多心血，在此一并表示诚挚的谢意！

本书的英文由汤博文、刘翀翻译，日文由荻幸旗翻译，韩文由严恩庆翻译，插图刘德辉，最后由胡双宝、钱王驷审订，在此表示感谢。

我们希望使用本书的老师和学生朋友能够喜欢她，并能通过本书享受学习汉语的过程。我们也期待着来自您的宝贵意见。

编者

2004 年 7 月

4

人 物 介 绍

大卫:男,美国留学生。性格活泼开朗。

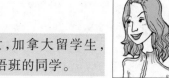

玛丽:女,加拿大留学生,大卫汉语班的同学。

李军:男,中国人,东方大学的学生。

张红:女,中国人,中华大学的学生。

刘明:男,玛丽和大卫的汉语老师。

中村:女,日本人,汉语进修生,玛丽的同屋。

王老师:女,留学生办公室的老师。

略语表 Abbreviation

名—名词	N.—noun
动—动词	V.—verb
能愿—能愿动词	aux.v.—auxiliary verb
形—形容词	A./Adj.—adjective
数—数词	num.—numeral
量—量词	m.—measure word
代—代词	pron.—pronoun
副—副词	adv.—adverb
介—介词	prep.—preposition
连—连词	conj.—conjunction
助—助词	part.—particle
叹—叹词	interj.—interjection
主语	S.-subject
宾语	O.-objectic

一　声调、声母和韵母
The Tones, the Initials and the Finals

（一）概述（General）

汉语的音节由三部分组成：声母、韵母和声调。声调不同，意义就可能不一样。(Among the components of a Chinese syllable, there is a tone besides the initial and the final. Syllables with same initials and finals but in different tones usually have different meanings.)

声母 (*initial*) ＋韵母 (*final*) ＋声调 (*tone*) ＝音节 (*syllable*)
m　　　　　　　a　　　　　　　　　　　　mā

一共有五个声调 (There are five tones):

1 一	The first tone	mā	mother	55	i·7
2 二	The second tone	má	hemp	35	5#i
3 三	The third tone	mǎ	horse	214	3 2 6
4 四	The fourth tone	mà	curse	51	i 3 2
	The neutral tone	ma	*an interrogative particle*		

（二）声母和韵母（1）（The initials and the finals）

	a	o	e	i	u
b	八		*		不
p			*		
m	马				
f			*	*	
d		*			读
t		*			
n		*		你	
l	拉	*			
g		*	哥	*	
k		*		*	
h		*		*	

 听读后选择（**Select the syllables that you hear being read**）

1. bo—po   2. bo—bu   3. mo—me

4. fo—fu   5. mo—mu   6. da—ta

7. le—ne   8. gu—ku   9. hu—fu

10. mu—nu

（三）声母和韵母（2）（The initials and the finals）

	ai	ao	ou	ei	ua	uo	uai	uei(ui)
z					*		*	
c					*		*	
s				*	*		*	
zh								
ch				*	*			
sh								
r	*			*			*	
g								
k								
h								

 听读后选择（Select the syllables that you hear being read）

1. zai—cai
2. zao—zhao
3. zhou—chou
4. shai—sai
5. cao—sao
6. chao—shao
7. rou—rao
8. zhao—zhuo
9. gei—kei
10. zhui—zui

	a	ai	ao	o	ou	e	ei	u	ua	uo	uai	uei(ui)	i
b		白				*	*		*	*	*	*	*
p							*		*	*	*	*	*
m							没		*	*	*	*	*
f	*	*				*			*	*	*	*	*
d				*	都	的		*		多	*	对	
t				*		*				*		*	
n				*		*				*		*	
l		来		*						*		*	
z			早		走			*		*			
c				*			*	*		*			
s				*			*	*		*			
zh				*		这		*					
ch				*			*	*					
sh			少	*				书					
r	*	*		*				*			*		
g				*									*
k				*		客							*
h			好	*									*

Notes: zi=z ci=c si=s
zhi=zh chi=ch shi=sh ri=r

Expressions	Directions in Class
你好！ Nǐ hǎo! How are you?	读 dú read
	打开书 dǎ kāi shū open your book
	作业 zuòyè homework
	老师 lǎoshī teacher

（四）声母和韵母（3）（The Initials and the Finals）

	i	ü	ia	ie	iao	iou (iu)	üe
j							
q	起						
x	系		下	谢			
n			*				
l							

 听读后选择（Select the syllables that you hear being read）

1. xia—lia   2. lia—liao   3. ju—qu

4. jue—jun   5. qu—xue   6. jie—jue

7. lie—lüe   8. qiu—que   9. nu—lu

10. ji—xi

	an	en	in	ian	uen(un)	uan	ün	üan
b					*	*	*	*
d		*	*					*
z			*	*			*	*
zh			*	*			*	
j	*	*			*	*		
g			*	*			*	*

 听读后选择（Select the syllables that you hear being read）

1. ban—bin   2. zen—zun   3. dun—duan

4. zhen—zhun   5. jun—juan   6. gan—guan

7. qian—quan

Expressions		Directions in Class	
对不起。	Duìbuqǐ. Sorry.	读课文	dú kèwén read the text
谢谢。	Xièxie. Thanks.	跟我读	gēn wǒ dú follow me
不客气。	Bú kèqi. You're welcome.	做练习	zuò liànxí do the exercises
下午好。	Xiàwǔ hǎo. Good afternoon.	再说一遍	zài shuō yí biàn repeat
多少钱？	Duōshao qián? How much?		

（五）声母和韵母（4）(The Initials and the Finals)

	ang	eng	ing	iang	iong	uang	ong	ueng
p			*	*	*	*		*
t			*	*	*			*
c			*	*	*	*		*
ch			*	*	*			*
q	*	*				*	*	*
k			*	*	*			*

听读后选择（Select the syllables that you hear being read）

1. bang—pang   2. deng—teng   3. zang—cang

4. chuang—shuang   5. qiong—jiong   6. keng—geng

7. jiang—xiang   8. kuang—huang 9. ning—ling

10. tong—dong

 听读后选择（Select the syllables that you hear being read）

1. ban—bang   2. min—ming   3. bing—beng

4. gen—geng   5. tan—tang   6. jian—jiang

7. wan—wang   8. long—liang   9. weng—wen

10. chuang—chuan

Expressions		Directions in Class	
早上好!	Zǎoshang hǎo! Good morning!	读生词	dú shēngcí read the new words
晚上好!	Wǎnshang hǎo! Good evening!	听	tīng listen
晚安!	Wǎn ān! Good night!		
没关系!	Méi guānxi! It's OK!		
再见!	Zàijiàn! Bye!		
请进!	Qǐng jìn! Come in, please!	听写	tīngxiě dictation

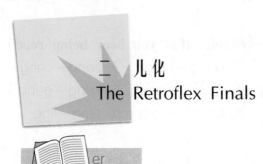

二 儿化
The Retroflex Finals

 er

发音时将舌头从发 e 的位置稍向前伸并抬起，使舌尖靠近硬腭。(This sound is produced by moving the tongue a little forward from the position of "e" and turning up the tip of the tongue toward the hard palate.)

| ér 儿(son) | èr 二(two) | ěr 耳(ear) |

儿化韵

其他韵母可以与 er 结合形成儿化韵。汉语有很多词有儿化韵尾，我们用 r 来标写。(The final of a syllable may combine with "er" to form a syllable with a retroflex ending. In Chinese, there are many words with such endings and we use "r" for the transcription.)

gē 歌 (song)	gēr 歌儿 (song)
huà 画 (draw)	huàr 画儿 (picture *noun*.)
cuò 错 (mistake *adj*.)	cuòr 错儿 (mistake *noun*.)
xìn 信 (believe)	xìnr 信儿 (message)

以"i"或"n"结尾的韵母儿化时，"i"或"n"不发音。(If the final of a syllable ends in "-i" or "-n", "i" or "n" is not pronounced when a retroflex ending is added.)

wèir   wánr   xiǎoháir   pángbiānr

 唱儿歌

Read the Following Children's Song

Huā yī huā èr huā sān sìr,
花　一　花　二　花　三　四儿，

huā niáng bào zhe huā hái zir,
花　娘　抱　着　花　孩　子儿，

huā mào zir, huā wéi jīnr,
花　帽　子儿，花　围　巾儿，

huā dōu dour, huā qún qunr,
花　兜　兜儿，花　裙　裙儿，

huā ǎo huā kù huā xié zir,
花　袄花　裤　花　鞋　子儿，

cóng tóu huā dào jiǎo hòu gēnr.
从　头　花　到　脚　后　跟儿。

三 拼写规则
The Rules of Spelling

1. i 单独成音节时，其前加 y。（When there is no initial before the final "i" in a syllable, add "y" before the final.）

　　i → yi

2. 以 i 为韵头的韵母单独成音节时，将 i 改为 y。（When there is no initial before a final started with "i", we change "i" into "y".）

　　iao → yao　iou → you

3. u 单独成音节时，其前加 w。（When there is no initial before the final "u", add "w" before the final.）

　　u → wu

4. 以 u 为韵头的韵母单独成音节时，将 u 改为 w。（When there is no initial before a final started with "u", change "u" into "w".）

　　ua → wa　uai → wai　uan → wan

　　uang → wang

5. ü 或以它为韵头的韵母单独成音节时，在其前加 y，ü 上两点省略。（When there is no initial before the final "ü" or a final started with "ü" in a syllable, add "y" before the final. The two dots above "ü" are dropped.）

　　ü → yu　üe → yue

6. ü 或以 ü 为韵头的韵母与 j、q、x 相拼时，ü 上两点省略。（When the final "ü" or a final started with "ü" is preceded by "j", "q", "x", the two dots above "ü" are dropped.）

　　ü → ju　qü → qu　xü → xu

　　jün → jun　jüe → jue

比较：lü → lu   nü → nu

7. iou、uei 和 uen 三个韵母与声母相拼时，要写为 iu、ui 和 un。(When preceded by initials, the finals "iou", "uei" and "uen" are shortened as "iu", "ui" and "un" respectively.)

iou → iu：jiu   qiu   xiu   diu

uei → ui：tui   gui   zhui   sui

uen → un：lun   kun   dun   shun

根据拼写规则写出下列音节（Write the following syllables according to the rules of spelling）

i____	ian____	iong____	iou____	ie____
u____	uo____	ua____	uai____	uei ____
uen____	ueng____	uang____		
ü____	üe____	ün____		

声调的标写（How to use the tone marks）

声调要标写在音节的主要元音上(发音时开口度大、声音响亮的元音)。(Tone marks are placed on the main vowel(the one pronounced the loudest and with the mouth widest open).)

1. 音节中只有一个元音时，声调就标在这个元音上。(When there is only one vowel in the syllable, the tone mark should be put above the vowel.)

bā   bō   tè   mí   lú   lǜ

bān   lóng   pén   nín   lún   jūn

2. 音节中有 a 元音时，声调标在 a 上。(When there is the vowel "a" in the syllable, the tone mark should be put above it.)

bāo   bāi   zhuāng   jiāng   juān

3. 音节中有元音 e、i 或 u 时，声调标在 e 上。(When there

are the vowels "e", "i" or "ü" in the syllable, the tone mark should be put above "e".)

bèi què

4. 音节中有 o、u 或 i 时，声调标在 o 上。(When there are the vowels "o", "u" or "i" in the syllable, the tone mark should be put above "o".)

lóu jiǒng

5. u、i 一起出现时，标在后一个元音上。(When there are the vowels "i" and "u" in the syllable, the tone mark should be put above the latter one.)

tuì jiǔ

声调标写的优先顺序 (The preferred order)

在图上越靠下边的韵母越优先标调。(The finals closer to the lower position in the diagram are given tone-marks preferably.)

a e o i/u

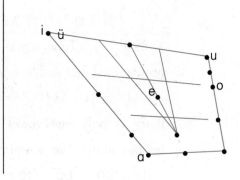

给下列词语标写声调 (Add tone marks to the following)

拼音	pinyin	pronunciation
声调	shengdiao	tone
汉字	Hanzi	Chinese characters
生词	shengci	new words
语法	yufa	grammar

在课堂用语表上标写声调 (Put the tone marks)

Directions in Class

1. 打开书	da kai shu	open your book
2. 读生词	du shengci	read the new words
3. 读课文	du kewen	read the text
4. 跟我读	gen wo du	read after me
5. 做练习	zuo lianxi	do the exercises
6. 读	du	read
7. 听	ting	listen
8. 听写	tingxie	dictation
9. 作业	zuoye	homework
10. 再(说)一遍	zai shuo yi bian	repeat

四 总复习
General Review

（一）声母韵母辨音练习（Differentiate similar initials and finals）

b—p

pùzi (铺子) — bùzi (步子) bùfá (步伐) — pǔ fǎ (普法)

màibó (脉搏) — bàopò (爆破) piǎobái (漂白) — pāo máo (抛锚)

miánbù (棉布) — fúpíng (浮萍) míngbai (明白) — ménpái (门牌)

d—t

dùzi (肚子) — tùzi (兔子) dāngmiàn (当面) — tiānnián (天年)

dàitì (代替) — dìtú (地图) tuǒdang (妥当) — duō tàng (多烫)

tèbié (特别) — biéde (别的) tuīdòng (推动) — tǔduī (土堆)

g—k

gēge (哥哥) — kěkě (可可)　　kuānguǎng (宽广) — kānguǎn (看管)

guà hào (挂号) — guàkào (挂靠)　kāiguān (开关) — gàiguān (概观)

gēnbān (跟班) — kěn gàn (肯干)　kànglì (伉俪) — gǎnglóu (岗楼)

zh—ch

zhǎnlǎn (展览) — chǎn luǎn (产卵)

zhèngzhì (政治) — chéngchí (城池)

zhǎngshēng (掌声) — chāngshèng (昌盛)

zhuāntóu (砖头) — chuántóu (船头)

j—q

jījí (积极) — jīqì (机器)

jiējí (阶级) — qiè chǎng (怯场)

qǐ chuáng (起床) — jīchuáng (机床)

qìnghè (庆贺) — jìnghè (敬贺)

zh ch sh—z c s

zhàn qián (站前) — zǎn qián (攒钱)

shāngyè (商业) — sǎngyīn (嗓音)

chēngzàn (称赞) — zēnghèn (憎恨)

zhìdì (质地) — zǐdì (子弟)

j q x—zh ch sh

jūzhù (居住) — qūchú (驱除) — xūshè (虚设)

jiūjìng (究竟) — qiújìn (囚禁) — xiūchǐ (羞耻)

juédìng (决定) — quèshí (确实) — xuéxí (学习)

jūnduì (军队) — qúnjū (群居) — xúnzhǎo (寻找)

an en in—ang eng ing

lántiān (蓝天) — láng háo (狼嚎)　wánshuǎ (玩耍) — wángguó (王国)

běnlái (本来) — béng lái (甭来)　fēngdù (风度) — fèntǔ (粪土)

nín hǎo (您好) — níngjìng (宁静)　línlì (林立) — línglóng (玲珑)

（二）声调练习（Tone exercises）

1. 四声组合（Combinations of the four tones）

dōngfēng	dōngguā	dōngtiān
báhé	báihóu	fáng chén
gǎngwān	fǎngfú	lǔfèi
cèyìng	fàngqì	bànyè
pīpíng	hūnlǐ	chū jià
béng chī	féiměi	táotài
tòngkǔ	zhèngzhí	dàmǐ

2. 三声变调（Changing the third tone）

shǒubiǎo→shóubiǎo	yǔsǎn→yúsǎn
hǎomǐ→háomǐ	gǎnxiǎng→gánxiǎng
lěngshuǐ→léngshuǐ	hěn hǎo→hén hǎo

（三）音节练习（Syllable exercises）

1. 音节拼读（Pronounce the syllables）

yī(一)　　wú(无)　　yǔ(与)　　yào(要)　　wán(完)

yuǎn(远)　liù(六)　　tuī(推)　　lùn(论)

2. 标声调（Add tone on the right position）

mai　　　bo　　　qiu　　　dui　　　meng　　bie

3. 用正确的拼写形式改写（Correct the following syllables according to the rules of spelling）

liou　　　yie　　　jü　　　　qüan　　　ü

luen　　　iao　　　uan　　　tuei

Expressions 常用语句

1. 你好！   Nǐ hǎo!
How are you?/How do you do?

2. 早上好！   Zǎoshang hǎo!
Good morning!

3. 下午好！   Xiàwǔ hǎo!
Good afternoon!

4. 晚上好！   Wǎnshang hǎo!
Good evening!

5. 晚安！   Wǎn ān!
Good night!

6. 谢谢。   Xièxie.
Thank you.

7. 不客气。   Bú kèqi.
You're welcome./It's OK.

8. 对不起。   Duìbuqǐ.
Sorry.

9. 没关系。   Méi guānxi.
It's OK.

10. 再见！   Zàijiàn!
Bye!

11. 明天见。   Míngtiān jiàn.
See you tomorrow.

12. 请进。   Qǐng jìn.
Come in please.

13. 认识你很高兴。   Rènshi nǐ hěn gāoxìng.
I'm glad to meet you.

第一课　你好！

Dì-yī　kè　　Nǐ hǎo!

（在办公室门口）

大　卫：你好！
李　军：你好！
大　卫：你是老师吗？
李　军：不是，我不是老师。我是学生，她是老师。
大　卫：谢谢。
李　军：不客气。

大　卫：老师，您好！
王老师：你好！你是留学生吗？
大　卫：是，我是留学生。
王老师：你叫什么名字？
大　卫：我叫大卫。

（在办公室）

Dàwèi:　Nǐ hǎo!
Lǐ Jūn:　Nǐ hǎo!
Dàwèi:　Nǐ shì lǎoshī ma?
Lǐ Jūn:　Bú shì, wǒ bú shì lǎoshī. Wǒ shì xuésheng, tā shì lǎoshī.
Dàwèi:　Xièxie.
Lǐ Jūn:　Bú kèqi.

Dàwèi:　Lǎoshī, nín hǎo!
Wáng lǎoshī: Nǐ hǎo! Nǐ shì liúxuéshēng ma?
Dàwèi:　Shì, wǒ shì liúxuéshēng.
Wáng lǎoshī: Nǐ jiào shénme míngzi?
Dàwèi:　Wǒ jiào Dàwèi.

New Words and Expressions 生词语

1.	你	（代）	nǐ	you
2.	好	（形）	hǎo	good；fine
3.	是	（动）	shì	to be ~~yes~~
4.	老师	（名）	lǎoshī	teacher
5.	吗	（助）	ma	*an interrogative particle*
6.	不	（副）	bù	no；not
7.	我	（代）	wǒ	I；me
8.	学生	（名）	xuésheng	student
9.	她	（代）	tā	she
10.	谢谢	（动）	xièxie	thank you
11.	不客气		bú kèqi	You are welcome.
12.	您	（代）	nín	you ~~(respect)~~
13.	留学生	（名）	liúxuéshēng	foreign student
14.	叫	（动）	jiào	call
15.	什么	（代）	shénme	what
16.	名字	（名）	míngzi	name

Proper Nouns 专有名词

1.	大卫	Dàwèi	*name of a person*
2.	李军	Lǐ Jūn	*name of a person*
3.	王	Wáng	*a Chinese surname*

 语言点 Grammatical Key Points

一 "是"字句 (Sentences with "是")

　　肯定式：S+是+N(Affirmative form: S+是+N)

　　　例：1. 我是老师。

　　　　　2. 她是学生。

　　否定式：S+不+是+N(Negative form: S+不+是+N)

　　　例：1. 我不是留学生。

2. 李军不是老师。

疑问式:S+是+N+吗？（Interrogative form: S+是+N+吗？）

例:1. 你是老师吗？

2. 大卫是留学生吗？

二 用"吗"的疑问句 (Interrogative sentences using "吗")

"吗"加在陈述句句末,用来提问:陈述句+吗？(Add "吗"

to the end of a declarative sentence to make a question.)

例:1. 你好。 → 你好吗？

2. 大卫是留学生。 → 大卫是留学生吗？

3. 你不是老师。 → 你不是老师吗？

4. 你叫李军。 → 你叫李军吗？

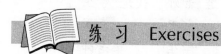 练习 Exercises

 一 语音练习（Pronunciation exercises）

（一）读音（**Pronunciation**）

	a	o	e	u	ai	ei	ao	ou
b	ba	bo		bu	bai	bei	bao	
p	pa	po		pu	pai	pei	pao	pou
m	ma	mo	me	mu	mai	mei	mao	mou
f	fa	fo		fu		fei		fou

（二）听读后选择 (**Select the word that you hear being read**)

1. bo—po   2. bo—ba   3. mo—me

4. bai—bei   5. mao—mou   6. fei—fou

7. fo—fu   8. mo—mu

二 （看图）替换练习 （Substitution exercises （using the drawing provided））

我　　她　　大卫

1. | 你 | 好！
   | 您 |
   | 老师 |

2. | 你 | 是学生。
   | 我 |
   | 她 |
   | 大卫 |

3. A:你是 老师 吗？
   | 大卫 |
   | 学生 |
   | 留学生 |

B:我不是 老师 ,我是 学生 。
大卫	李军
学生	老师
留学生	老师

三 把下列句子改成否定句（Change the following sentences to include negation）

1. 她是王老师。　＿＿＿＿＿＿＿＿＿＿
2. 我是留学生。　＿＿＿＿＿＿＿＿＿＿
3. 你是老师。　　＿＿＿＿＿＿＿＿＿＿
4. 我叫李军。　　＿＿＿＿＿＿＿＿＿＿

四 把下列句子改成问句 （Change the following sentences into interrogative sentences）

1. 你好。　　　　＿＿＿＿＿＿＿＿＿＿
2. 我不是老师。　＿＿＿＿＿＿＿＿＿＿
3. 你是留学生。　＿＿＿＿＿＿＿＿＿＿
4. 我叫大卫。　　＿＿＿＿＿＿＿＿＿＿

五　完成对话（Complete the dialogue）

初次见面(Meeting for the first time)

A：你好！

B：_____。

A：你叫什么名字？

B：_____。

A：你是老师吗？

B：不是，_____。

六　朗读并模仿填空　（Read aloud and fill in the blanks in accordance with the example given）

我叫大卫，我不是老师，我是学生。

我叫_____，我不是_____，我是_____。

七　汉字练习（Chinese character exercises）

模仿书写下列汉字 （Write down the following words using the correct stroke sequence）

第二课 你是哪国人？

Dì-èr kè   Nǐ shì nǎ guó rén?

(在教室)

刘　明：同学们好！

学　生：老师好！

刘　明：我来介绍一下儿：我姓刘，叫刘明，是东方大学的老师。你叫什么名字？

大　卫：我叫大卫，是东方大学的留学生。

刘　明：你是哪国人？

大　卫：我是美国人。

大　卫：我来介绍一下儿：她叫玛丽，他叫李军。

玛　丽：认识你很高兴。

李　军：我也很高兴。你是美国人吗？

玛　丽：不，我不是美国人，我是加拿大人。你呢？

李　军：我是中国人。

(在路上)

Liú Míng:　Tóngxuémen hǎo!

Xuésheng:　Lǎoshī hǎo!

Liú Míng:　Wǒ lái jièshào yíxiàr: Wǒ xìng Liú,　jiào Liú Míng,　shì Dōngfāng Dàxué de lǎoshī. Nǐ jiào shénme míngzi?   *Linda*

Dàwèi:　Wǒ jiào Dàwèi, shì Dōngfāng Dàxué de liúxuéshēng.

Liú Míng:　Nǐ shì nǎ guó rén?   *what country*

Dàwèi:　Wǒ shì Měiguó rén.   *I am American*

Dàwèi： Wǒ lái jièshào yíxiàr：Tā jiào Mǎlì, tā jiào Lǐ Jūn.

Mǎlì： Rènshi nǐ hěn gāoxìng.

Lǐ Jūn： Wǒ yě hěn gāoxìng. Nǐ shì Měiguó rén ma?

Mǎlì： Bù, wǒ bú shì Měiguó rén, wǒ shì Jiānádà rén. Nǐ ne?

Lǐ Jūn： Wǒ shì Zhōngguó rén.

New Words and Expressions 生词语

1.	哪	（代）	nǎ	which
2.	国	（名）	guó	country
3.	人	（名）	rén	people；person
4.	同学	（名）	tóngxué	school mate
	（同学）们		(tóngxué)men	*a marker denoting plurality*
5.	来	（动）	lái	come
6.	介绍	（动）	jièshào	introduce
7.	一下儿		yíxiàr	*used after a verb to indicate a brief action*
8.	姓	（动）	xìng	surname
9.	的	（助）	de	*auxiliary word indicating structure*
10.	他	（代）	tā	he；him
11.	认识	（动）	rènshi	meet；know
12.	很	（副）	hěn	very
13.	高兴	（形）	gāoxìng	glad；happy
14.	也	（副）	yě	too
15.	呢	（助）	ne	*a modal particle*

Proper Nouns 专有名词

1.	刘	Liú	*a Chinese surname*
2.	刘明	Liú Míng	*name of a person*
3.	东方大学	Dōngfāng Dàxué	Dongfang University
4.	美国	Měiguó	America
5.	玛丽	Mǎlì	*name of a person*

6. 加拿大　　　Jiā'nádà　　　Canada

7. 中国　　　　Zhōngguó　　　China

注释
Note

我来介绍一下儿（Let me make a short introduction）：在介绍人、事物、地方等情况时，常用这句话。(This sentence is commonly used when introducing a person, an object, a location or a set of circumstances.)

语言点 Grammatical Key Points

一 "们"

表示复数（"们" denotes plurality）。

pron + 们：你 / 我 / 她 / 他 + 们

例：1. 你们好!

2. 他们是美国人。

3. 我们是东方大学的留学生。

N + 们：同学 / 老师 + 们

例：1. 老师们好!

2. 同学们好吗?

注意：只用于表示人的名词后。

二 "也"

表示类同。(Using "也" to indicate categorical similarities.)

例：1. 你是学生，我也是学生。

2. 你们不是老师，我们也不是老师。

3. 李军是中国人，刘明也是中国人。

三 "呢"（1）(Interrogative sentences using "呢")

N / pron+呢

例：1. A：我是美国人，你呢？ (=你是哪国人?)

B：我是加拿大人。

2. A：我叫李军，你呢？ (=你叫什么名字?)

B：我叫大卫。

3. A：他不是老师，你呢？ (=你是老师吗?)

B：我也不是老师。

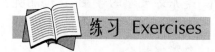 练习 Exercises

 一 语音练习（Pronunciation exercises）

（一）读音（**Pronunciation**）

	an	en	ang	eng	i	ie	iao	iou	ian	in	ing
b	ban	ben	bang	beng	bi	bie	biao		bian	bin	bing
p	pan	pen	pang	peng	pi	pie	piao		pian	pin	ping
m	man	men	mang	meng	mi	mie	miao	miu	mian	min	ming
f	fan	fen	fang	feng							

（二）听读后选择 （**Select the syllables that you hear being read**）

1. ban—bang　　　2. min—ming　　　3. bing—beng

4. man—men　　　5. pie—pian

 二 看图完成对话 （Complete the dialogues using the drawings provided）

1. A：你是美国人吗？
   B：不是。
   A：你是哪国人？
   B：我是 加拿大 人。

中国　　　英国（Yīngguó）　　法国（Fǎguó）　　日本（Rìběn）　　韩国（Hánguó）

2. A：他 是美国留学生 ，你呢？

　　　 叫大卫

　　　 是东方大学的学生

 B：我也_____。

3. A：李军 <u>是东方大学的学生</u> ，玛丽呢？

            <u>不是老师</u>

            <u>不是美国人</u>

            <u>很高兴</u>

    B：_____。

三 选词填空（Select the word that best fills in the blank）

<u>吗　呢　什么　哪</u>

1. 你叫（　　）名字？

2. 我是东方大学的学生，你（　　）？

3. 大卫是（　　）国人？

4. 你们是留学生（　　）？

四 用"也"改写下列句子（Rewrite the following sentences using "也"）

1. 李军是中国人，刘明是中国人。_____

2. 大卫是留学生，玛丽是留学生。_____

3. 你是我的同学，他是我的同学。_____

4. A：认识你很高兴。B：我很高兴。_____

五 用"呢"提问并回答（Change the following sentences into questions using "呢" and then answer them）

例：A：我是中国人。　→　你呢？　B：我是日本人。

1. A：他叫大卫。　　　→　_____

2. A：我是加拿大人。　→　_____

3. A：刘明是东方大学的老师。→　_____

4. A：我不是留学生。　→　_____

六 完成对话（Complete the dialogues）

初次见面　(Meeting for the first time)

1. 我来介绍一下儿，他叫_____，是_____。

2. A：认识你很高兴。　　　　B：我_____。

3. A：我叫_____，你呢？　　B：_____。

七　朗读并模仿填空 （Read aloud and fill in the blanks in accordance with the examples given）

1. 我来介绍一下儿，我姓刘，叫刘明，是东方大学的老师。

   我_____，我姓__，叫____，是_____。

2. 李军是中国人，大卫是美国人，安娜（Ānnà）也是美国人。

   ____是_____，____是_____，____也是_____。

Additional Vocabulary　补充词语

1.	英国	（名）	Yīngguó	Britain
2.	法国	（名）	Fǎguó	France
3.	日本	（名）	Rìběn	Japan
4.	韩国	（名）	Hánguó	Korea
5.	安娜	（名）	Ānnà	*name of a person*

八　汉字练习 （Chinese character exercises）

模仿书写下列汉字 （**Write down the following words using the correct stroke sequence**）

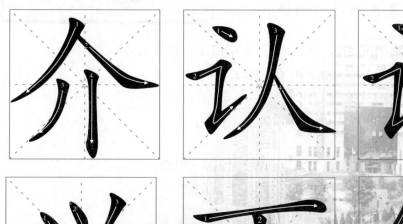

第三课 那是你的书吗?

Dì-sān kè Nà shì nǐ de shū ma?

(在宿舍里)

大 卫: 玛丽,那是谁的书?是你的书吗?

玛 丽: 不是,是我同屋的书。

大 卫: 是汉语课本吗?

玛 丽: 不是, 是《汉日词典》。

大 卫: 什么词典?

玛 丽: 《汉日词典》,就是汉语、日语
词典。

(在宿舍里)

玛 丽: 这是什么磁带?

中 村: 音乐磁带。

玛 丽: 是日本音乐吗?

中 村: 不是,是中国音乐。

玛 丽: 这是你的磁带吗?

中 村: 不是,是我朋友的磁带。

Dàwèi: Mǎlì, nà shì shuí de shū? Shì nǐ de shū ma?

Mǎlì: Bú shì, shì wǒ tóngwū de shū.

Dàwèi: Shì Hànyǔ kèběn ma?

Mǎlì: Bú shì, shì *Hàn-Rì Cídiǎn*.

Dàwèi: Shénme cídiǎn?

Mǎlì: *Hàn-Rì Cídiǎn*, jiù shì Hànyǔ, Rìyǔ cídiǎn.

Mǎlì: Zhè shì shénme cídài?

Zhōngcūn: Yīnyuè cídài.

Mǎlì: Shì Rìběn yīnyuè ma?

Zhōngcūn: Bú shì, shì Zhōngguó yīnyuè.

Mǎlì: Zhè shì nǐ de cídài ma?

Zhōngcūn: Bú shì, shì wǒ péngyou de cídài.

New Words and Expressions

生词语

1.	那	（代）	nà	that
2.	书	（名）	shū	book
3.	谁	（代）	shuí	who
4.	同屋	（名）	tóngwū	roommate
5.	汉语	（名）	Hànyǔ	Chinese
6.	课本	（名）	kèběn	textbook
7.	词典	（名）	cídiǎn	dictionary
8.	就是		jiù shì	it means
9.	日语	（名）	Rìyǔ	Japanese
10.	这	（代）	zhè	this
11.	磁带	（名）	cídài	tape
12.	音乐	（名）	yīnyuè	music
13.	朋友	（名）	péngyou	friend

Proper Nouns

专有名词

1.	《汉日词典》	*Hàn-Rì Cídiǎn*	*Chinese-Japanese Dictionary*
2.	中村	*Zhōngcūn*	*name of a person*
3.	日本	*Rìběn*	Japan

注释 Note

就是：用来进一步解释、说明。(It means：For making further explanation.)

例：1. 北大就是北京大学。

2. 李军，就是大卫的那个中国朋友。

语言点 Grammatical Key Points

一 "这"/"那" (This/That)

"这" 表示近指，"那" 表示远指。("这" indicates an object which is near, "那" indicates an object which is far.)

例：1. 这是汉语课本。

2. 那是我的词典。

3. 这是朋友的磁带。

二 特殊疑问句 (Particular interrogative sentence)

用"哪"、"什么"、"谁"等疑问词提问的句子，就是汉语的特殊疑问句，语序和陈述句相同。(A special question in the Chinese language calls for the use of "哪", "什么", "谁" and other like words.)

例：1. A：你是哪国人？

B：我是美国人。

2. A：那是什么书？

B：那是汉语课本。

3. A：她是谁？

B：她是我的同屋。

三 定语 (Attributes)

汉语中定语的位置是在中心语的前面，有的不加"的"（如例1、例2），有的要加"的"（如例3、例4）。(In Chinese, the attribute comes before the central words. Do not add "的" for certain sentences as in (eg.1, eg.2), add "的" for other sentences to indicate possession, as in (eg.3, eg.4).

例：1. 这是汉语词典，不是汉语课本。

2. 玛丽是加拿大人，不是美国人。

3. 他是我的同屋，也是我的朋友。

4. 他叫大卫，是玛丽的同学。

 练习 Exercises

 一 语音练习（Pronunciation exercises）

（一）读音(Pronunciation)

	a	e	ai	ei	ao	ou	u	üe
d	da	de	dai	dei	dao	dou	du	
t	ta	te	tai		tao	tou	tu	
n	na	ne	nai	nei	nao		nu	nüe
l	la	le	lai	lei	lao	lou	lu	lüe

（二）听读后选择（Select the syllables that you hear being read）

1. da—ta   2. le—ne   3. nü—nüe
4. nai—nei   5. dao—dou

二　**看图替换练习**（Substitution exercises using the drawings provided）

1. A：那是 谁 的书？
   B：那是 李军 的书。
       大卫
       老师
       她
       中村

2. A：这是 什么 磁带？
   B：这是 汉语 磁带。
       音乐
       日语
       英语（Yīngyǔ）
       法语（Fǎyǔ）

3. 他是 东方大学的留学生 ，是 美国人 。
   他   我的老师   中国人
   她   我的朋友   日本人
   他   大卫的同屋   法国人

三　**选词填空**（Select the word that best fills in the blank）

这　那　哪　很　也

1. A：你好吗？

B：我（　　）好。

2.（　　）是我朋友的书。

3. A：（　　）本（běn）书是你的？

　　B：（　　）本书是我的。

　　A：那本书（　　）是你的吗？

　　B：是。

四　**分别用"谁"、"什么"、"哪"把下列句子改成问句**（Change the following sentences into questions by using "谁", "什么" and "哪"）

1. 这是汉语词典。＿＿＿＿＿＿＿＿＿＿＿

2. 他是美国留学生。＿＿＿＿＿＿＿＿＿＿

3. 这是刘老师的书。＿＿＿＿＿＿＿＿＿＿

4. 我的朋友叫李军。＿＿＿＿＿＿＿＿＿＿

5. 中村是我的同屋。＿＿＿＿＿＿＿＿＿＿

五　**完成对话**（Complete the dialogues）

1. A：玛丽，这是你的课本吗？

　　B：不是，＿＿＿＿＿＿。

2. A：他是谁？是你的朋友吗？

　　B：对，他叫＿＿＿＿，是＿＿＿＿＿＿。

六　**朗读并模仿填空**（Read aloud and fill in the blanks in accordance with the example given）

她叫玛丽，是加拿大人。她是我的同屋，也是我的朋友。

他(她)叫＿＿＿，是＿＿＿人。他(她)是＿＿＿＿＿，也是＿＿＿＿＿＿。

Additional Vocabulary　补充词语

1. 英语	（名）	Yīngyǔ	English
2. 法语	（名）	Fǎyǔ	French
3. 本	（量）	běn	*a measure word*

七　汉字练习（Chinese character exercises）

模仿书写下列汉字（Write down the following words using
the correct stroke sequence）

第四课 图书馆 在 哪儿?

Dì-sì kè Túshūguǎn zài nǎr?

玛 丽：同学,请问,图书馆在哪儿?

学生甲：对不起,我不是这儿的学生,
　　　　我不知道。

玛 丽：没关系。

(在校园的路上)

(在教学楼前)

玛 丽：同学,这儿是图书馆吗?

学生乙：不是,这是教学楼,图书馆
　　　　在那儿,宿舍楼的北边。

玛 丽：是左边的楼吗?

学生乙：不,是右边的楼。

玛 丽：谢谢。

学生乙：不用谢。

Mǎlì: Tóngxué, qǐng wèn, túshūguǎn zài nǎr?

Xuésheng Jiǎ: Duìbuqǐ, wǒ bú shì zhèr de xuésheng, wǒ bù zhīdào.

Mǎlì: Méi guānxi.

Mǎlì: Tóngxué, zhèr shì túshūguǎn ma?

Xuésheng Yǐ: Bú shì, zhè shì jiàoxué lóu, túshūguǎn zài nàr, sùshè lóu de běibian.

Mǎlì: Shì zuǒbian de lóu ma?

Xuésheng Yǐ: Bù, shì yòubian de lóu.

Mǎlì: Xièxie.

Xuésheng Yǐ: Bú yòng xiè.

New Words and Expressions

生词语

1. 图书馆	（名）	túshūguǎn	library
2. 在	（动）	zài	be in
3. 哪儿	（代）	nǎr	where
4. 请问		qǐng wèn	excuse me
5. 对不起		duìbuqǐ	sorry
6. 这儿	（代）	zhèr	here
7. 知道	（动）	zhīdào	know
8. 没关系		méi guānxi	It doesn't matter./That's all right.
9. 教学	（名）	jiàoxué	teaching
10. 楼	（名）	lóu	building
11. 那儿	（代）	nàr	there
12. 宿舍	（名）	sùshè	dormitory
13. 北边	（名）	běibian	the north
14. 左边	（名）	zuǒbian	the left
15. 右边	（名）	yòubian	the right
16. 不用		bú yòng	need not
不用谢		bú yòng xiè	You are welcome.

语言点 Grammatical Key Points

一 "在"/"是" (At/Is)

N+在+方位 （N+在+Place/Direction）

例：1. 图书馆在那儿。

2. 加拿大在美国的北边。

3. 图书馆在宿舍楼的右边。

方位+是+N （Place/Direction+是+N）

例：1. 那儿是宿舍楼。

2. 教学楼的北边是图书馆。

3. 玛丽的左边是大卫。

二 "哪儿"(Where)

代词，用来询问地方，后面不用"吗"。(A pronoun is used to make inquiries about locality and it does not need to be followed up with "吗".)

例：1. 我的书在哪儿？

2. 你们的宿舍楼在哪儿？

3. 图书馆在哪儿？

三 方位词(1)(Nouns of locality)

左 / 右 + 边 → 左边/右边（left/right + side → left side/right side）

东（dōng）/西（xī）/ 南（nán）/ 北 + 边 → 东边/西边/南边/北边（east/west/south/north + side → east side/west side/south side/north side）

例：1. 宿舍楼在图书馆的北边。

2. 李军在大卫的右边。

3. 日本在中国的东边。

练习 Exercises

一 语音练习（Pronunciation exercises）

（一）读音（Pronunciation）

	an	en	ang	eng	ong
d	dan	den	dang	deng	dong
t	tan		tang	teng	tong
n	nan	nen	nang	neng	nong
l	lan		lang	leng	long

（二）听读后选择（Select the syllables that you hear being read）

1. dan—dang   2. dan—den   3. nen—neng

4. lang—leng   5. nen—long

 二 看图替换练习（Substitution exercises using the drawings provided）

❶ ❷ ❸ 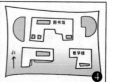❹

1. A：图书馆 在哪儿？   B：图书馆 在 宿舍楼 的 北边 。

玛丽		玛丽	大卫	右边
磁带		磁带	汉语书	左边
教学楼		教学楼	图书馆	南边
				(nánbian)

❶ ❷ 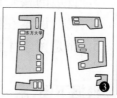❸ 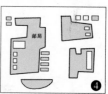❹

2. A：右边的楼是图书馆吗？   B：不，图书馆 是左边的楼。

宿舍楼	宿舍楼
东方大学	东方大学
邮局	邮局 (yóujú)

 三 看图回答问题 （Answer the questions by referring to the drawings provided）

A：同学，请问，图书馆在哪儿？

宿舍楼在哪儿？

这是你的汉语书吗？

你是美国人吗？

B：_____。

四 **选词填空**（Select the word that best fills in the blank）

在 是 这儿 哪儿 那儿

1.（　　）是学生宿舍楼吗？

2. 这儿不是图书馆，图书馆在（　　）。

3. 教室（　　）图书馆的北边。

4. 邮局的南边（　　）商店（shāngdiàn）。

5. 请问，东方大学在（　　）?

五 **用"哪儿"把下列句子改成问句**（Change the following sentences into interrogative sentences using "哪儿"）

1. 宿舍楼在图书馆的北边。＿＿＿＿＿＿＿＿＿＿

2. 日本在中国的东边。＿＿＿＿＿＿＿＿＿＿＿＿

3. 右边的楼是图书馆。＿＿＿＿＿＿＿＿＿＿＿＿

4. 我的课本在磁带的下边(xiàbian)。＿＿＿＿＿＿＿

5. 那是留学生的宿舍楼。＿＿＿＿＿＿＿＿＿＿＿

六 **根据下图,用"在"、"是"说出邮局、教室、商店、图书馆的位置**（Use "在" or "是" to point out the location of the post office, classroom, shop and library in the drawing below）

银行	食堂	图书馆	＿＿＿＿＿＿＿＿
邮局	商店	教室	＿＿＿＿＿＿＿＿

七 **完成对话**（Complete the dialogues）

1. A：教学楼在哪儿？

   B：对不起，我不知道。

   A：＿＿＿＿＿＿。

2. A：李军，这是你的书吗？

   B：对，谢谢你。

   A：＿＿＿＿＿＿。

八 朗读并模仿填空 （Read aloud and fill in the blanks in accordance with the example given）

这是我的宿舍，东方大学的图书馆在宿舍楼的北边。

这是_____，_____在图书馆的右边。

Additional Vocabulary 补充词语

1.	东边	（名）	dōngbian	the east
2.	南边	（名）	nánbian	the south
3.	邮局	（名）	yóujú	post office
4.	商店	（名）	shāngdiàn	shop; store
5.	下边	（名）	xiàbian	under

 九 汉字练习（Chinese character exercises）

模仿书写下列汉字（Write down the following words using the correct stroke sequence）

第五课　在 东方 大学 的西边

Dì-wǔ　kè　Zài Dōngfāng Dàxué de xībian

(在联欢会场)

玛　丽：你好！你叫什么名字？

张　红：我叫张红。你呢？

玛　丽：我叫玛丽，我是东方大学
　　　　的留学生，我的专业是国
　　　　际关系。你呢？

张　红：我是中华大学中文系的
　　　　研究生，我的专业是现代
　　　　文学。

玛　丽：中华大学在哪儿？

张　红：在东方大学的西边。有空
　　　　儿的时候，欢迎你去玩儿。

(在会场外)

大　卫：请问，卫生间在哪儿？

学　生：在那儿，教室的旁边。

大　卫：是东边的教室吗？

学　生：对。

Mǎlì:　　　Nǐ hǎo! Nǐ jiào shénme míngzi?

Zhāng Hóng:　Wǒ jiào Zhāng Hóng. Nǐ ne?

Mǎlì:　　　Wǒ jiào Mǎlì,　wǒ shì Dōngfāng Dàxué de liúxuéshēng,　wǒ
　　　　　de zhuānyè shì guójì guānxi.　Nǐ ne?

Zhāng Hóng:　Wǒ shì Zhōnghuá Dàxué Zhōngwén Xì de yánjiūshēng,
　　　　　wǒ de zhuānyè shì xiàndài wénxué.

Mǎlì:　　　Zhōnghuá Dàxué zài nǎr?

Zhāng Hóng:Zài Dōngfāng Dàxué de xībian.　Yǒu kòngr de shíhou,
　　　　　huānyíng nǐ qù wánr.

Dàwèi： Qǐng wèn, wèishēngjiān zài nǎr?

Xuésheng：Zài nàr, jiàoshì de pángbiān.

Dàwèi： Shì dōngbian de jiàoshì ma?

Xuésheng：Duì.

New Words and Expressions 生词语

1.	西边	（名）	xībian	the west
2.	专业	（名）	zhuānyè	specialized subject
3.	国际	（名）	guójì	international
4.	关系	（名）	guānxi	relation; relationship
5.	中文	（名）	Zhōngwén	Chinese
6.	系	（名）	xì	department
7.	研究生	（名）	yánjiūshēng	graduate student
8.	现代	（名）	xiàndài	modern
9.	文学	（名）	wénxué	literature
10.	有	（动）	yǒu	have
11.	空儿	（名）	kòngr	free time
12.	时候	（名）	shíhou	time; moment
13.	欢迎	（动）	huānyíng	welcome
14.	去	（动）	qù	go
15.	玩儿	（动）	wánr	to play
16.	卫生间	（名）	wèishēngjiān	toilet; WC
17.	教室	（名）	jiàoshì	classroom
18.	旁边	（名）	pángbiān	side
19.	东边	（名）	dōngbian	the east
20.	对	（形）	duì	right

Proper Nouns 专有名词

1.	张红	Zhāng Hóng	*name of a person*
2.	中华大学	Zhōnghuá Dàxué	Zhonghua University

注释 Note

欢迎你去玩儿 (Come and visit sometime)：对人发出邀请时常说的客气话。(This is a polite form commonly said when giving out an invitation.)

单元小结（一）

语言点	课文序号	例句
1. "是"字句	1	我是留学生。
2. 用"吗"的疑问句	1	这儿是图书馆吗？
3. "们"	2	我们是东方大学的学生。
4. "也"	2	她也是美国人。
5. "呢"(1)	2	我是学生，你呢？
6. "这"/"那"	3	这是我的书。/那是他的词典。
7. 特殊疑问句	3	你叫什么名字？/那是谁的词典？
8. 定语	3	我的书/美国人/中国朋友
9. "在"/"是"	4	卫生间在那儿。/教学楼的北边是图书馆。
10. "哪儿"	4	大卫在哪儿？/你们的教学楼在哪儿？
11. 方位词(1)左/右/东/西南/北+边→左边/右边/东边/西边/南边/北边	4	图书馆在宿舍楼的右边。

练习 Exercises

一 语音练习（Pronunciation exercises）

（一）读音（Pronunciation）

	i	ia	ie	iao	iou	ian	in	ing	iang
d	di	dia	die	diao	diu	dian		ding	
t	ti		tie	tiao		tian		ting	
n	ni		nie	niao	niu	nian	nin	ning	niang
l	li	lia	lie	liao	liu	lian	lin	ling	liang

（二）听读后选择（Select the syllables that you hear being read）

1. liao—niao 2. lia—liao 3. lian—liang

4. lin—ling 5. tian—tiao

二 **选词填空**（Select the word that best fills in the blank）

呢 吗 也 在

1. 你是留学生，我（ ）是留学生。

2. 我叫玛丽，你（ ）?

3. 你的磁带（ ）那儿。

4. 那是刘老师的汉语书（ ）?

哪儿 谁 那儿 这儿 这 那

1. 留学生的宿舍楼在（ ）。

2. （ ）不是我的词典，是我同屋的。

3. 东方大学在（ ）?

4. 他是（ ）? 是你的同学吗?

5. （ ）不是教学楼，教学楼在那儿。

6. （ ）是汉语课本，不是汉语词典。

三 **把词语放在句中合适的位置**（Place the word given in its appropriate place within the sentence）

1. A 我 B 是 C 美国留学生，我是加拿大留学生。 （不）

2. A 那 B 是 C 的 D 汉语书? （谁）

3. 刘明 A 是 B 中国人， C 李军 D 是中国人。 （也）

4. 张红 A 是 B 中华大学 C 中文系 D 研究生。 （的）

5. A 东方大学的 B 图书馆 C 宿舍楼的 D 东边。 （在）

四 **仿照例句改写句子**（Rewrite the given sentences by following the example shown）

例：她是老师。 → 她不是老师。 → 她是老师吗?

1. 中村是日本留学生。 _____

2. 那儿是图书馆。 _____

3. 这是我同屋的磁带。 _____

4. 张红的专业是现代文学。 _____

五 分别用"哪儿"、"哪"、"什么"、"谁"就画线部分提问
（Substitute the underlined segment with "哪儿"，"哪"，"什么" or "谁" to form a question）

1. 那是 大卫 的磁带。
2. 我叫 李军 。
3. 我的同屋是 加拿大 人。
4. 张红 是玛丽的中国朋友。
5. 这是 音乐 磁带。
6. 图书馆在 宿舍楼的北边 。

六 用指定词语完成句子（Complete the sentences using the designated words and expressions given）

1. 这不是我的书，＿＿＿＿＿＿。 （N + 的）
2. 我不是老师，＿＿＿＿＿＿。 （也）
3. 这儿不是图书馆，＿＿＿＿＿＿＿＿＿。 （在）
4. ＿＿＿＿＿＿＿＿＿＿（旁边），这是宿舍楼。
5. 我是美国留学生，＿＿＿＿＿＿＿＿＿＿＿。 （专业）

七 看图完成对话 （Complete the dialogues by using the drawings provided）

（一）初次见面 （Meeting for the first time）

1. A：＿＿＿＿＿＿＿＿？
   B：我叫李军，＿＿＿＿＿？
   A：我叫张红。
2. A：＿＿＿＿＿＿，他叫大卫，是美国留学生。她叫张红，是中华大学的研究生。
   B：＿＿＿＿＿，认识你很高兴。
   C：＿＿＿＿＿＿＿＿。

（二）询问国籍 （Asking nationalities）

1. A：＿＿＿＿＿＿＿＿？
   B：我是美国人。

2. A：＿＿＿＿＿＿＿＿＿？

B：我不是美国人，我是加拿大人。

（三）礼貌用语（Expressing courtesy）

1. A：对不起。

B：＿＿＿＿＿＿。

2. A：谢谢您。

B：＿＿＿＿。/＿＿＿＿。

3. 这是中华大学，＿＿＿＿＿（欢迎）。

八　**朗读并模仿写一段话**（Read aloud and write a paragraph in accordance with that of the example given）

　　我姓中村，叫中村优美（Yōuměi）。我是日本人，现在（xiànzài）是东方大学中文系的研究生，我的专业是中国文学。她叫玛丽，是加拿大人，她是我的同屋，也是我的朋友。这是我们的宿舍楼，学校图书馆在宿舍楼的北边。

Additional Vocabulary　补充词语

1. 中村优美　（名）Zhōngcūn Yōuměi　*name of a person*
2. 现在　　　（名）xiànzài　　　　　　now

九 汉字练习（Chinese character exercises）

（一） 模仿书写下列汉字 （Write down the following words using the correct stroke sequence）

（二） 请找出下列各组汉字的共同点 （Find the similarities in each group of Chinese characters ）

（1） 你　　他　　什　　们
（2） 认　　识　　谁　　请

第六课 现在几点?

Dì-liù kè Xiànzài jǐ diǎn?

（在宿舍）

玛　丽：中村，日本的大学早上几点上课?

中　村：大部分是八点五十分，我们学校是九点。

玛　丽：几点下课?

中　村：十点半。

玛　丽：东方大学早上八点上课，太早了。

玛　丽：大卫，电影几点开始?

大　卫：六点半。

玛　丽：现在几点?

大　卫：差一刻六点。

玛　丽：谢谢！一会儿见。

（在食堂前）

Mǎlì：　　　Zhōngcūn, Rìběn de dàxué zǎoshang jǐ diǎn shàng kè?

Zhōngcūn：Dà bùfen shì bā diǎn wǔshí fēn, wǒmen xuéxiào shì jiǔ diǎn.

Mǎlì：　　　Jǐ diǎn xià kè?

Zhōngcūn：Shí diǎn bàn.

Mǎlì：　　　Dōngfāng Dàxué zǎoshang bā diǎn shàng kè, tài zǎo le.

Mǎlì：　　　Dàwèi, diànyǐng jǐ diǎn kāishǐ?

Dàwèi：　　Liù diǎn bàn.

Mǎlì：　　　Xiànzài jǐ diǎn?

Dàwèi：　　Chà yí kè liù diǎn.

Mǎlì：　　　Xièxie! Yíhuìr jiàn.

生词语

1.	现在	（名）	xiànzài	now
2.	几	（代）	jǐ	how many
3.	点	（名）	diǎn	o'clock; hour
4.	大学	（名）	dàxué	university
5.	早上	（名）	zǎoshang	morning
6.	上课		shàng kè	go to class; attend class
7.	部分	（名）	bùfen	part
	大部分		dà bùfen	greater part
8.	八	（数）	bā	eight
9.	五十	（数）	wǔshí	fifty
10.	分	（名）	fēn	minute
11.	我们	（代）	wǒmen	we
12.	学校	（名）	xuéxiào	school
13.	九	（数）	jiǔ	nine
14.	下课		xià kè	class is over
15.	十	（数）	shí	ten
16.	半	（数）	bàn	half
17.	太…了		tài…le	too
18.	早	（形）	zǎo	early
19.	电影	（名）	diànyǐng	film; movie
20.	开始	（动）	kāishǐ	begin; start
21.	六	（数）	liù	six
22.	差	（动）	chà	short of
23.	一	（数）	yī	one
24.	刻	（量）	kè	a quarter
25.	一会儿		yíhuìr	in a moment
26.	见	（动）	jiàn	see; meet

注释
Note

太早了 （It's/That's too early）：在这里表示过分。(Here "太早了" indicates excessiveness.)其他例如：太早了。/太冷了。/太贵了。(Ex.: Too early./Too cold./Too expensive.)

语言点 Grammatical Key Points

一 钟点表示法 （How to convey time）

8：00	八点
8：05	八点零 (líng) 五分
8：10	八点十分
8：15	八点十五分（八点一刻）
8：30	八点三十分（八点半）
8：45	八点四十五分（八点三刻/ 差一刻九点）
8：50	八点五十分（差十分九点）

询问时间用"几点"。（"几点" is used to ask for the time.）

例： 1. 现在几点？

2. 你们几点下课？

3. 你们学校几点上课？

二 数字表达法（How to convey numbers）

汉语数字的读法是（The way to read Chinese numerals is as follows）：

0—10： 零 (líng)、一 (yī)、二 (èr)、三 (sān)、四 (sì)、五 (wǔ)、六 (liù)、七 (qī)、八 (bā)、九 (jiǔ)、十 (shí)

11—20： 十一、十二、十三、十四、十五、十六、十七、十八、十九、二十

21—100： 二十一……二十九、三十；四十、五十、六十、七十、八十、九十、一百 (bǎi)

练习 Exercises

 一　语音练习（Pronunciation exercises）

（一）读音（Pronunciation）

	u	uo	uei	uan	un
d	du	duo	dui	duan	dun
t	tu	tuo	tui	tuan	tun
n	nu	nuo		nuan	
l	lu	luo		luan	lun

（二）听读后选择（Select the syllables that you hear being read）

1. duo—tuo　　2. dun—lun　　3. nuan—luan
4. luo—lun　　5. tu—tun

二　看图完成对话　（Complete the dialogues by using the drawings provided）

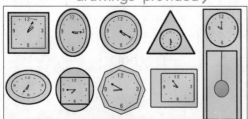

1. A：现在几点？
   B：_____。

2. A：你们早上几点上课？
   B：_____。

三 读出下列数字 （Read aloud the following numbers）

89	12	35	67	98	49
51	100	24	73	56	80

四 看图用汉语的数字填空 （Fill in the blanks with the appropriate Chinese numerals by referring to the drawing provided）

（一） （　） （　） （　） （　）

（六） （　） （　） （　） （　）

五 用指定的词语替换画线的部分 （Substitute the underlined portions with the given words）

1. 现在八点 十五分 。　　　　（刻）＿＿＿＿＿＿＿

2. 电影六点 三十分 开始。　　（半）＿＿＿＿＿＿＿

3. 七点 四十五分 来教室。　　（刻）＿＿＿＿＿＿＿

4. 九点 五十 下课。　　　　　（差）＿＿＿＿＿＿＿

六 用"几"提问 （Use"几"to form questions）

1. 现在是 十点半 。　　　＿＿＿＿＿＿＿＿＿＿

2. 我们 八点 上课。　　　＿＿＿＿＿＿＿＿＿＿

3. 玛丽 十二点 下课。　　＿＿＿＿＿＿＿＿＿＿

4. 电影 六点半 开始。　　＿＿＿＿＿＿＿＿＿＿

七 朗读并仿写 （Read aloud and write an excerpt in accordance with that of the example given）

我是日本人，现在是东方大学的留学生。我们日本的大学早上九点上课，东方大学早上八点上课，太早了。

八 汉字练习（Chinese character exercises）

模仿书写下列汉字 （Write down the following words using the correct stroke sequence）

第七课 明天 你有课 吗?

Dì-qī kè Míngtiān nǐ yǒu kè ma?

(在宿舍)

玛 丽: 中村,明天你有课吗?

中 村: 我上午没有课,下午有。

玛 丽: 你有自行车吧?

中 村: 有。什么事?

玛 丽: 我明天早上八点有课, 可是
我没有自行车……

中 村: 好,没问题。这是自行车的钥
匙,我的车在楼下车棚里。

玛 丽: 是宿舍楼后边的车棚吗?

中 村: 对。

大 卫: 玛丽,今天晚上你有时间吗?

玛 丽: 有。有事吗?

大 卫: 学校电影院有好电影, 你去
吗?

玛 丽: 什么电影?

大 卫: 不知道名字,听说很有名。

玛 丽: 我当然去。

(在教室)

Mǎlì: Zhōngcūn, míngtiān nǐ yǒu kè ma?

Zhōngcūn: Wǒ shàngwǔ méiyǒu kè, xiàwǔ yǒu.

Mǎlì: Nǐ yǒu zìxíngchē ba?

Zhōngcūn: Yǒu. Shénme shì?

Mǎlì: Wǒ míngtiān zǎoshang bā diǎn yǒu kè, kěshì wǒ méiyǒu
zìxíngchē...

Zhōngcūn: Hǎo, méi wèntí. Zhè shì zìxíngchē de yàoshi, wǒ de chē
zài lóu xià chēpéng li.

Mǎlì: Shì sùshè lóu hòubian de chēpéng ma?

Zhōngcūn: Duì.

Dàwèi： Mǎlì, jīntiān wǎnshang nǐ yǒu shíjiān ma?

Mǎlì： Yǒu. Yǒu shì ma?

Dàwèi： Xuéxiào diànyǐngyuàn yǒu hǎo diànyǐng, nǐ qù ma?

Mǎlì： Shénme diànyǐng?

Dàwèi： Bù zhīdào míngzi, tīngshuō hěn yǒumíng.

Mǎlì： Wǒ dāngrán qù.

生词语

New Words and Expressions

1.	明天	（名）	míngtiān	tomorrow
2.	课	（名）	kè	class
3.	上午	（名）	shàngwǔ	morning; forenoon
4.	没有	（动）	méiyǒu	have not
5.	下午	（名）	xiàwǔ	afternoon
6.	自行车	（名）	zìxíngchē	bicycle
7.	吧	（助）	ba	*a particle placed at the end of a sentence to indicate a suggestion, request or order*
8.	事	（名）	shì	thing
9.	可是	（连）	kěshì	but
10.	没问题		méi wèntí	no problem
11.	钥匙	（名）	yàoshi	key
12.	车	（名）	chē	bicycle; car; vehicle
13.	下	（名）	xià	under; down
14.	车棚	（名）	chēpéng	bicycle shed
15.	里	（名）	lǐ	in
16.	后边	（名）	hòubian	behind; at the back
17.	今天	（名）	jīntiān	today
18.	晚上	（名）	wǎnshang	evening
19.	时间	（名）	shíjiān	time
20.	电影院	（名）	diànyǐngyuàn	cinema
21.	听说	（动）	tīngshuō	hear of
22.	有名	（形）	yǒumíng	famous; prominent
23.	当然	（形）	dāngrán	of course; certainly

语言点 Grammatical Key Points

一 "有"字句（Sentences with "有"）

"有"可以用来表示领有。（"有" indicates possession or ownership.）

肯定式：S+有+N (The affirmative form: Subject+有+N)

例：1. 我有汉语词典。

2. 你上午有课。

3. 大卫有中国朋友。

否定式：S+没有+N (The negative form: Subject+没有+N)

例：1. 我没有音乐磁带。

2. 玛丽没有自行车。

3. 晚上大卫没有时间。

疑问式：S+有+N+吗? (The interrogative form: Subject+有+N+吗?)

例：1. 你有自行车吗?

2. 你有中国音乐磁带吗?

3. 明天上午你有时间吗?

二 "吧"(1)

"吧"用在疑问句尾，有要求确认的意思。(If "吧" is used at the end of a question, it indicates a request for confirmation.)

例：1. 你是美国留学生吧?

2. 那是图书馆吧?

3. 你们明天有汉语课吧?

三 方位词(2)（Nouns of locality）

表示空间方位常用的方位词有：上 (shàng)、下、里、外 (wài)、前 (qián)、后、左、右和旁边等。上、下、里、外、前、后可以直接加在名词后，表示方位。 (The words commonly used to indicate location include "上"，"下"，"里"，"外"，"前"，"后"，"左"，"右" and "旁边" etc. The first six words can be added direcly after a noun to indicate location.)

例：1. 她的自行车在楼下。

2. 玛丽在车棚里。

3. 他在电影院前等我。

四 时间名词做状语 (Using nouns that denote time as the adverbial modifier)

时间名词放在动词前面做状语 (The expression of time is placed in front of the verb when used as the adverbial modifier).

例：1. 我八点有课。

2. 玛丽晚上看电影。

3. 大卫下午有事。

 练习 Exercises

 一 语音练习（Pronunciation exercises）

（一）读音（Pronunciation）

	a	e	ai	ei	ao	ou	an	ang	en	eng	ong
g	ga	ge	gai	gei	gao	gou	gan	gang	gen	geng	gong
k	ka	ke	kai	kei	kao	kou	kan	kang	ken	keng	kong
h	ha	he	hai	hei	hao	hou	han	hang	hen	heng	hong

（二）听读后选择 (Select the syllables that you hear being read)

1. ga—ka   2. gai—gei   3. kao—kou

4. han—hang   5. gan—gen   6. ken—keng

 二 （看图）替换练习 （Substitution exercises （using the drawing provided））

A：你有 自行车 吗？
　　中国朋友
　　汉语课本
　　音乐磁带

　　　　宿舍的钥匙

　　　　英语词典

　　B：有。 我有＿＿＿＿＿＿。

三　选词填空（Select the word that best fills in the blank）

　　早上　上午　下午　晚上

1. 今天 （　　） 六点，电影院有好电影。
2. 明天 （　　） 我没有课，上午有。
3. 我们 （　　） 九点上课，十一点下课。
4. 你明天 （　　） 几点去中华大学？

四　按照例句改写句子（Rewrite the given sentences by following the example shown）

例：我明天有课。 → 你明天有课吗？ → 我明天没有课。

1. 我有汉语老师。　＿＿＿＿＿＿＿＿
2. 他有美国同学。　＿＿＿＿＿＿＿＿
3. 大卫有自行车。　＿＿＿＿＿＿＿＿
4. 李军明天有时间。　＿＿＿＿＿＿＿＿
5. 玛丽有音乐磁带。　＿＿＿＿＿＿＿＿

例：你是加拿大人。 → 你是加拿大人吧？

1. 你们明天没有课。　＿＿＿＿＿＿＿＿
2. 他们有自行车。　＿＿＿＿＿＿＿＿
3. 她不是汉语老师。　＿＿＿＿＿＿＿＿
4. 宿舍楼的北边是图书馆。　＿＿＿＿＿＿＿＿
5. 中华大学在东方大学的西边。　＿＿＿＿＿＿＿＿

五　用指定的词语完成句子（Complete the sentences using the designated words and expressions given）

1. A：我们去图书馆好吗？
　　B：＿＿＿＿＿＿＿＿＿＿＿。（没问题）
2. A：电影院今天有好电影，你去吗？
　　B：＿＿＿＿＿＿＿＿＿＿＿＿＿。（当然）
3. A：李红有自行车，你有自行车吗？

    B：＿＿＿＿＿＿＿。（也）

4．A：明天你去中华大学吗？

    B：＿＿＿＿＿＿＿＿。（可是）

六 朗读并仿写（Read aloud and write an excerpt in accordance with that of the example given）

    我明天上午没课，下午有汉语课，晚上有时间。学校电影院有好电影，大卫去，我当然也去。

七 汉字练习（Chinese character exercises）

模仿书写下列汉字（Write down the following words using the correct stroke sequence）

第八课 你的电话 号码 是 多少?
Dì-bā kè Nǐ de diànhuà hàomǎ shì duōshao?

(在电话中)

张　红：玛丽,周末你有空儿吗?
玛　丽：有。什么事?
张　红：来我们学校玩儿吧。
玛　丽：好呀!不过,去你们学校怎么走呢?
张　红：21 路和 106 路公共汽车都到。骑自行车也很快,十五分钟就到。

玛　丽：你的宿舍在哪儿?
张　红：在校园的东南边,是东 5 号楼。
玛　丽：你的房间号是多少?
张　红：502 号。我的宿舍是东 5 号楼 502 室。
玛　丽：你的电话号码是多少?
张　红：63861023。你有手机吗?
玛　丽：没有,不过我朋友有。
张　红：号码是多少?
玛　丽：13695670132。
张　红：好,我等你。

Zhāng Hóng：Mǎlì, zhōumò nǐ yǒu kòngr ma?
Mǎlì： Yǒu. Shénme shì?
Zhāng Hóng：Lái wǒmen xuéxiào wánr ba.
Mǎlì： Hǎo ya! Búguò, qù nǐmen xuéxiào zěnme zǒu ne?
Zhāng Hóng：Èrshíyī lù hé yāo-líng-liù lù gōnggòng qìchē dōu dào. Qí zìxíngchē yě hěn kuài, shíwǔ fēnzhōng jiù dào.
Mǎlì： Nǐ de sùshè zài nǎr?

Zhāng Hóng：Zài xiàoyuán de dōngnán biān, shì dōng wǔ hào lóu.

Mǎlì： Nǐ de fángjiān hào shì duōshao?

Zhāng Hóng：Wǔ-líng-èr hào. Wǒ de sùshè shì dōng wǔ hào lóu wǔ-líng-èr shì.

Mǎlì： Nǐ de diànhuà hàomǎ shì duōshao?

Zhāng Hóng：Liù-sān-bā-liù-yāo-líng-èr-sān. Nǐ yǒu shǒujī ma?

Mǎlì： Méiyǒu, búguò wǒ péngyou yǒu.

Zhāng Hóng：Hàomǎ shì duōshao?

Mǎlì： Yāo-sān-liù-jiǔ-wǔ-liù-qī-líng-yāo-sān-èr.

Zhāng Hóng：Hǎo, wǒ děng nǐ.

New Words and Expressions 生词语

1.	电话	（名）	diànhuà	telephone；phone
2.	号码	（名）	hàomǎ	number
3.	多少	（代）	duōshao	how many；how much
4.	周末	（名）	zhōumò	weekend
5.	呀	（助）	ya	ah
6.	不过	（连）	búguò	but
7.	怎么	（代）	zěnme	how
8.	走	（动）	zǒu	go；walk
9.	和	（连）	hé	and
10.	路	（量）	lù	route, *a measure word*
11.	公共汽车	（名）	gōnggòng qìchē	bus
12.	都	（副）	dōu	all
13.	到	（动）	dào	arrive
14.	骑	（动）	qí	ride
15.	快	（形）	kuài	fast
16.	十五	（数）	shíwǔ	fifteen
17.	分钟	（名）	fēnzhōng	minute
18.	校园	（名）	xiàoyuán	campus；school yard
19.	东南	（名）	dōngnán	southeast
20.	东	（名）	dōng	east
21.	号	（名）	hào	number
22.	房间	（名）	fángjiān	room

23. 室	（名）	shì	room
24. 手机	（名）	shǒujī	cell phone
25. 等	（动）	děng	to wait

注释
Note

十五分钟就到：“就”表示所用时间很短。(The "就" indicates a short time span, soon; at once right away.)
　　例：图书馆五分钟就到。

语言点 Grammatical Key Points

一 号码表示法 (Numbers)

汉语中的号码直接读数字，例：81653625 (bā-yāo-liù-wǔ-sān-liù-èr-wǔ)，其中，“1”作为号码时，要读成“yāo”。(In Chinese, the numbers are directly read aloud as they are, with the exception of the number "one", which should be read as "yāo".)

　　例：1. 我的房间号是201。

　　　　2. 他的电话号码是31653415。

　　　　3. 108路公共汽车到东方大学。

二 “几”和“多少”(1) (“几”and“多少”)

“几”和“多少”都可以用来询问号码。(“几” and “多少” can both be used to make inquiries about numbers.)

　　例：1. 你的宿舍是几号楼？

　　　　2. 大卫的电话号码是多少？

　　　　3. 张红的房间是多少号？

三 “呢”(2)

“呢”可以用在特殊疑问句尾，加强疑问语气。(“呢” can be used at the end of a specific question, to emphasize an interrogative tone.)

　　例：1. 去图书馆怎么走呢？

　　　　2. 这是谁的书呢？

　　　　3. 玛丽在哪儿呢？

四 "吧"(2)

"吧"用在句尾，表示建议的语气。（"吧" can be used at the end of a sentence to indicate a suggestive tone.）

例：1. 我们去看电影吧。

2. 来我们学校玩儿吧。

3. 我们去图书馆吧。

 练习 Exercises

 一 **语音练习**（Pronunciation exercises）

（一）读音 **Pronunciation**

	u	ua	uo	uai	ui	uan	uang	un
g	gu	gua	guo	guai	gui	guan	guang	gun
k	ku	kua	kuo	kuai	kui	kuan	kuang	kun
h	hu	hua	huo	huai	hui	huan	huang	hun

（二）听读后选择 (**Select the syllables that you hear being read**)

1. guai—gui   2. guan—guang   3. kun—hun

4. kuo—kui   5. hua—hui   6. huang—hun

 二 **看图读出下面的号码**（Read the numerals in the drawing below）

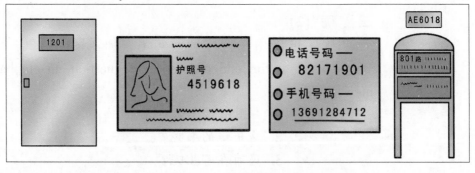

三 **看图替换练习**（Substitution exercises using the drawings provided）

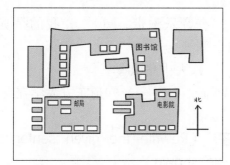

1. A：你的宿舍 在哪儿？
   　　图书馆
   　　邮局
   　　电影院

   B：在校园的 西南边 。
   　　　　　北边
   　　　　　西南边
   　　　　　东南边

2. A：你的 电话号码 是多少？
   　　　手机号码
   　　　房间号
   　　　学生证（zhèng）号码

   B： 82171901 。
   　　13691284712
   　　1203
   　　20031208

四 **替换完成对话** （Complete the dialogues by using substitution）

A： 周末 你有空儿吗？
　 下午
　 明天
　 明天晚上

B：有。

A：我们去 看电影 吧。
　　　　图书馆
　　　中华大学玩儿
　　　玛丽的房间

B：好。

五　选词填空（Select the word that best fills in the blank）

都　当然　不过　怎么

1. 我和同屋（　　）有音乐磁带，（　　）我的是美国音乐，她的是中国音乐。

2. 玛丽不知道（　　）去中华大学。

3. 我是东方大学的老师，（　　）知道东方大学在哪儿。

六　按照例句改写句子（Rewrite the given sentences by following the example shown）

例：21路到中华大学，106路也到中华大学。

→ 21路和106路　都　到中华大学。

1. 大卫是留学生，玛丽也是留学生。

_____

2. 我的同屋有自行车，我也有自行车。

_____

3. 李军去图书馆，刘明也去图书馆。

_____

4. 张红明天没有时间，玛丽也没有时间。

_____

七　用"几"和"多少"改写句子（Change the following sentences to include "几" and "多少"）

1. 我的电话号码是62578493。 _____

2. 大卫的房间是1106。 _____

3. 我的房间在6号楼。 _____

4. 108路公共汽车到东方大学。 _____

5. 我们早上八点上课。 _____

八　朗读并仿写（Read aloud and write an excerpt in accordance with that of the example given）

我的中国朋友张红是中华大学的研究生，她的宿舍楼在校园的东南边，房间号码是东5号楼502室。周末我要（yào）去那里玩儿。

Additional Vocabulary

补充词语

1. 学生证　　　（名）　　xuéshēngzhèng　　student's I.D.
2. 要　　　　　（动）　　yào　　　　　　　will; want to

 九　汉字练习（Chinese character exercises）

模仿书写下列汉字（Write down the following words using the correct stroke sequence）

 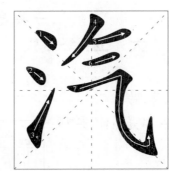 

第九课 多少 钱 一 瓶?

Dì-jiǔ kè Duōshao qián yì píngr?

(在商店)

大 卫：师傅,我买啤酒。

售货员：你买几瓶?

大 卫：多少钱一瓶?

售货员：三块五。

大 卫：我买两瓶,再买一瓶汽水儿。

售货员：两瓶啤酒七块,一瓶汽水儿两块
五,一共是九块五毛钱。

大 卫：给你钱。

玛 丽：小姐,有英汉词典吗?

售货员：有。你看,这些都是,你要哪
本呢?

玛 丽：我要这本小词典。多少钱一
本?

售货员：二十二块。

玛 丽：对不起,我没有零钱。

售货员：没关系。

(在书店)

Dàwèi: Shīfu, wǒ mǎi píjiǔ.

Shòuhuòyuán：Nǐ mǎi jǐ píngr?

Dàwèi: Duōshao qián yì píngr?

Shòuhuòyuán：Sān kuài wǔ.

Dàwèi: Wǒ mǎi liǎng píng, zài mǎi yì píngr qìshuǐr.

Shòuhuòyuán: Liǎng píng píjiǔ qī kuài, yì píng qìshuǐr liǎng kuài wǔ,
yígòng shì jiǔ kuài wǔ máo qián.

Dàwèi: Gěi nǐ qián.

Mǎlì：　　Xiǎojiě, yǒu Yīng-Hàn Cídiǎn ma?

Shòuhuòyuán：Yǒu. Nǐ kàn, zhèxiē dōu shì, nǐ yào nǎ běn ne?

Mǎlì：　　Wǒ yào zhè běn xiǎo cídiǎn. Duōshao qián yì běn?

Shòuhuòyuán：Èrshíèr kuài.

Mǎlì：　　Duìbuqǐ, wǒ méiyǒu língqián.

Shòuhuòyuán：Méi guānxi.

New Words and Expressions 生词语

1.	钱	（名）	qián	money
2.	瓶	（量）	píng	bottle, *a measure word*
3.	师傅	（名）	shīfu	master in trade
4.	买	（动）	mǎi	buy
5.	啤酒	（名）	píjiǔ	beer
6.	三	（数）	sān	three
7.	块	（量）	kuài	*yuan, the basic unit of money in China*
8.	两	（数）	liǎng	two
9.	再	（副）	zài	again; once more
10.	汽水儿	（名）	qìshuǐr	soft drink; soda water
11.	七	（数）	qī	seven
12.	一共	（副）	yígòng	altogether; in all
13.	毛	（量）	máo	*mao, a fractional unit of money in China*
14.	给	（动）	gěi	give
15.	小姐	（名）	xiǎojiě	Miss
16.	看	（动）	kàn	look; see
17.	这些	（代）	zhèxiē	these
18.	要	（动）	yào	want
19.	本	（量）	běn	*a measure word*
20.	小	（形）	xiǎo	small
21.	二	（数）	èr	two
22.	零钱	（名）	língqián	small change

语言点 Grammatical Key Points

一 "几"和"多少"(2)("几" and "多少")

"几" 一般用来询问十以下的数量，十以上的数量常用 "多少" 来询问。("几" is generally applied when making inquiries regarding numbers which are less than 10, while "多少", on the other hand, is often used to make inquiries regarding amounts greater than 10.)

例：1. 我要五本汉语书。　→你要几本汉语书？
　　2. 他要三瓶啤酒。　　→他要几瓶啤酒？
　　3. 玛丽有五十本书。　→玛丽有多少本书？
　　4. 一本词典八十块钱。　→一本词典多少钱？

二 量词 (Measure/Unit words)

汉语中的许多名词都有特别的量词。(In Chinese, many of the nouns need specific measure words.)

例：一瓶汽水、一本书、一盒 (hé) 磁带、一块钱、21 路公共汽车、一辆 (liàng) 自行车、一把 (bǎ) 钥匙

三 "二"和"两"(Using the two forms of "two")

(一) 数目 (Numbers/Amounts)

　1. 读 "二" (Read as "èr")

　　例：十二、二十、二十二、一百二十

　2. 读 "二"、"两" 均可 (Can be read as either "èr" or "liǎng")

　　例：两/二百、两/二千、两/二万、两/二亿

(二) 量词前读 "两" (Two is read as "liǎng" when placed before a measure word)

　　例：两本、两块、两瓶、两毛和两个 (gè)

四 钱数表示法 (How to form expressions involving RMB)

人民币的计量单位是 "元 (yuán)"、"角 (jiǎo)"、"分

(fēn)"，但在口语中读做"块"、"毛"、"分"。(The units of measurement for RMB are "yuán" (the relative equivalence of a dollar) , "jiǎo" (the relative equivalence of a dime or 10 cents) , and the "fēn" (the relative equivalence of a cent, or penny) , but in the spoken Chinese language "yuán" is often read as "kuài" and "jiǎo" as "máo" .)

> 例：五元 → 五块、十二元五角 → 十二块五（毛）、
> 六角二分 → 六毛二（分）

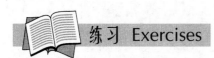 练习 Exercises

 一 语音练习（Pronunciation exercises）

（一）读音（**Pronunciation**）

	1	2	3	4
ba	ba	ba	ba	ba
gan	gan		gan	gan
tang	tang	tang	tang	tang
miao	miao	miao	miao	miao
fo		fo		
kun	kun		kun	kun

（二）听读后选择（**Select the word that you hear being read**）

1. kūn—kùn   2. tāng—tǎng   3. miǎo—miào

4. gǎn—gàn   5. bá—bǎ   6. fó—fǒu

二 读出下面的钱数（Read aloud the following amounts）

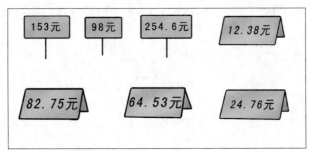

 三 （看图）填量词（Fill in the blanks with the appropriate measure words）

一（　）词典　　　　一（　）汽水　　　　一（　）啤酒

一（　）自行车　　　一（　）钱　　　一（　）钱

四　替换练习（Substitution exercises）

A：请问，《英汉词典》 多少钱一 本 ？
　　　　　　磁带　　　　　　　盒 (hé)
　　　　《汉日词典》　　　　　本
　　　　　自行车　　　　　　辆 (liàng)
　　　　　汽水　　　　　　　瓶

B： 五十块 。你要几 本 ？
　　八块　　　　　　盒
　　三十五块　　　　本
　　二百八十块　　　辆
　　两块　　　　　　瓶

A：我要 三本 。一共多少钱？
　　两盒
　　两本
　　两辆
　　三瓶

B：一共 一百五十 块。
　　十六块
　　七十块
　　五百六十块
　　六块

五 用"二"或"两"填空（Fill in the following blanks with "二" or "两"）

1. 我有（　　）本汉语书。

2. 玛丽的房间号是五〇（　　）。

3. 一本词典五十（　　）块钱。

4. 大卫要买（　　）盒磁带。

5. 二〇（　　）路公共汽车到东方大学。

六 用"几"和"多少"提问（Form questions using "几" and "多少"）

1. 玛丽有两本词典。　　＿＿＿＿＿＿＿＿＿＿

2. 中村有二十盒中国音乐磁带。　＿＿＿＿＿＿＿＿＿＿

3. 一辆自行车一百四十块钱。　＿＿＿＿＿＿＿＿＿＿

4. 李军要买五瓶啤酒。　＿＿＿＿＿＿＿＿＿＿

5. 刘明有三十个（gè）学生。　＿＿＿＿＿＿＿＿＿＿

七 仿照课文完成对话（Complete the dialogues by imitating the text）

1. A：师傅，有＿＿＿＿＿＿？

　　B：有，这些都是，你要＿＿＿＿＿＿？

　　A：＿＿＿＿＿多少钱？

　　B：＿＿＿＿＿块。

2. A：小姐，对不起，＿＿＿＿＿＿。（零钱）

　　B：没关系。

八 朗读并仿写（Read aloud and write a paragraph in accordance with that of the example given）

东方大学的书店（shūdiàn）有很多书，有汉语书、日语书，有《汉英词典》、《汉日词典》，还有中国音乐的磁带。汉语课本一本四十块，词典一本五十二块，磁带一盒八块八。玛丽要买一盒磁带、一本词典和两本汉语课本，一共多少钱？

补充词语

1. 盒　　（量）　　hé　　　　box, *a measure word*
2. 辆　　（量）　　liàng　　*a measure word for bicycle*
3. 个　　（量）　　gè　　　　*a measure word*
4. 书店　（名）　　shūdiàn　book store

 九　汉字练习（Chinese character exercises）

模仿书写下列汉字（**Write down the following words using the correct stroke sequence**）

（在宿舍）

玛　丽：这是你的照片吗？

张　红：对，是我家的照片。

玛　丽：你家里有几口人？

张　红：我家里有五口人：爷爷、奶奶、爸爸、妈妈和我。

玛　丽：你没有哥哥、姐姐吗？

张　红：没有，现在中国家庭一般只有一个孩子。玛丽，你家里有什么人？

玛　丽：我家里有爸爸、妈妈、哥哥、弟弟、妹妹，还有一条狗。

张　红：一共六口人？

玛　丽：不，七口。

张　红：爸爸、妈妈，一个哥哥、一个弟弟、一个妹妹和你，六口，对吧？

玛　丽：不对，还有一条狗。

张　红：是这样。

Mǎlì:　　Zhè shì nǐ de zhàopiān ma?

Zhāng Hóng: Duì, shì wǒ jiā de zhàopiān.

Mǎlì:　　Nǐ jiā li yǒu jǐ kǒu rén?

Zhāng Hóng: Wǒ jiā li yǒu wǔ kǒu rén: yéye, nǎinai, bàba, māma hé wǒ.

Mǎlì:　　Nǐ méiyǒu gēge, jiějie ma?

Zhāng Hóng: Méiyǒu, xiànzài Zhōngguó jiātíng yìbān zhǐ yǒu yí ge háizi. Mǎlì, nǐ jiā li yǒu shénme rén?

Mǎlì:　　Wǒ jiā li yǒu bàba, māma, gēge, dìdi, mèimei, hái yǒu yì tiáo gǒu.

Zhāng Hóng: Yígòng liù kǒu rén?

Mǎlì:　　　Bù, qī kǒu.

Zhāng Hóng:Bàba, māma, yí ge gēge, yí ge dìdi, yí ge mèimei hé nǐ,
　　　　　　liù kǒu, duì ba?

Mǎlì:　　　Bú duì, hái yǒu yì tiáo gǒu.

Zhāng Hóng:Shì zhèyàng.

New Words and Expressions　生词语

1.	家	（名）	jiā	family
2.	口	（量）	kǒu	*a measure word*
3.	照片	（名）	zhàopiān	photograph; picture
4.	爷爷	（名）	yéye	grandfather
5.	奶奶	（名）	nǎinai	grandmother
6.	爸爸	（名）	bàba	father
7.	妈妈	（名）	māma	mother
8.	哥哥	（名）	gēge	elder brother
9.	姐姐	（名）	jiějie	elder sister
10.	家庭	（名）	jiātíng	family
11.	一般	（形）	yìbān	general;ordinary;usually
12.	只	（副）	zhǐ	only
13.	个	（量）	gè	*a measure word*
14.	孩子	（名）	háizi	child; children
15.	弟弟	（名）	dìdi	younger brother
16.	妹妹	（名）	mèimei	younger sister
17.	还	（副）	hái	also; yet
18.	条	（量）	tiáo	*a measure word*
19.	狗	（名）	gǒu	dog
20.	这样	（代）	zhèyàng	like this; this way

单 元 小 结 （二）

语言点	课文序号	例句
1. 钟点表示法（几点）	6	现在几点？/你们学校几点上课？
2. 数字表达法（1—100）	6	一点/三点四十/十五块
3. "有"字句	7	我明天有课。/她没有《英汉词典》。
4. "吧"（1）确认	7	你是日本人吧？/你明天有课吧？
5. 时间名词做状语	7	我早上八点起床。
6. 方位词（2）	7	我的自行车在楼下。
7. 号码表示法	8	她的房间是305号。
8. "几"和"多少"（1）	8	你几点去？/ 她的电话号码是多少？
9. "呢"（2）	8	图书馆在哪儿呢？
10. "吧"（2）建议	8	我们去看电影吧。
11. "几"和"多少"（2）	9	你买几本书？/一共多少钱？
12. 名量词	9	一本/两瓶/三块
13. "二"和"两"	9	十二/二号楼/两本/两块
14. 钱数表示法	9	十块三毛五

 练习 Exercises

 一 **语音练习**（Pronunciation exercises）

（一）读音（Pronunciation）

Chuáng qián míng yuè guāng,　　床前明月光，
Yí shì dì shàng shuāng.　　疑是地上霜。

Jǔ tóu wàng míng yuè,　　举头望明月，
Dī tóu sī gù xiāng。　　低头思故乡。

（二）听读后选择(**Select the word that you hear being read**)

1. tiān—diàn　　2. miàn—làn　　3. wàn—yǎn

4. kàn—biàn　　5. hán—àn

 二　请填出照片中一家人的名称（Fill in the titles of the people in the photograph）

(　)

(我)

(　)

(　)

(　)

(　)

(　)

 三　量词填空（Fill in the blanks with the appropriate measure word）

1. 一（ 　 ）人　　2. 一（ 　 ）书　　3. 一（ 　 ）狗

4. 一（ 　 ）车　　5. 一（ 　 ）钱　　6. 一（ 　 ）汽水

 四　看图说出时间、钱数和号码（Look at the picture and state the depicted time, money amount or number amount）

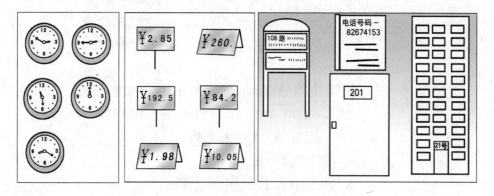

五 填出下图中的方位词（Fill in the directional terms left blank in the diagram below）

（北）

（　）↖ ↑ ↗（　）
（　）← →（东）
（　）↙ ↓ ↘（　）
（　）

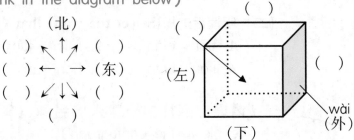

（左）

wài
（外）

（下）

 六 选词填空（Select the word that best fills in the blank）

吧 吗 呢 哪

1. 中村有一辆自行车，玛丽（　）？
2. 明天下午没有课，我们去看电影（　）？
3. 这些都是汉语课本，你要（　）本？
4. 大卫是美国留学生，玛丽也是美国留学生（　）？
5. 明天是周末，你们没有课（　）？

七 替换完成对话（Complete the dialogues by using substitution）

A：你 家里一共有三口人 ？
　　 一共要三本书
　　 一共有五盒磁带
　　 一共买四瓶饮料（yǐnliào）

B：不对， 四口人 ，还有 一条狗 。
　　 四本 　　　　 一本词典
　　 六盒 　　　　 一盒汉语磁带
　　 五瓶 　　　　 一瓶啤酒

 八 就画线部分提问（Rewrite the sentences into a question by altering the underlined segments）

1. 一瓶啤酒 三块五毛钱 。_____
2. 我家里有 五口 人。_____
3. 大卫明天上午 十点 有课。_____

4. 我们学校有 五百 (bǎi) 个留学生。_____

5. 我的宿舍是 东6号楼502房间 。_____

6. 张红的手机号码是 14058973021 。_____

7. 玛丽要买 一本书和一本词典 ，一共 五十块 。

_____

8. 电影晚上 六点半 开始。_____

Additional Vocabulary 补充词语

1. 饮料　（名）　yǐnliào　　　　　soft drinks
2. 百　　（数）　bǎi　　　　　　hundred

九　汉字练习（Chinese character exercises）

模仿书写下列汉字（**Write down the following words using the correct stroke sequence**）

第十一课　北京 的 冬天 比较冷
Dì-shíyī　kè　Běijīng de dōngtiān bǐjiào lěng

(在宿舍)

玛　丽：今天的天气怎么样？

中　村：不太好，有风，下午有雨。

玛　丽：冷吗？

中　村：不冷，二十度。

玛　丽：明天呢？

中　村：明天是晴天。

(在教室里)

大　卫：老师，北京秋天的天气怎么样？

刘　明：不冷不热，很舒服，是最好的季节。

大　卫：冬天呢？听说北京的冬天很冷，是吗？

刘　明：对，北京的冬天比较冷，最冷差不多零下十五度。

大　卫：常常下雪吗？

刘　明：不常下雪。大卫，你最喜欢哪个季节？

大　卫：我喜欢夏天，我喜欢游泳。老师，您呢？

刘　明：我喜欢春天。

Mǎlì:　　Jīntiān de tiānqì zěnmeyàng?

Zhōngcūn: Bú tài hǎo, yǒu fēng, xiàwǔ yǒu yǔ.

Mǎlì:　　Lěng ma?

Zhōngcūn: Bù lěng, èrshí dù.

Mǎlì:　　Míngtiān ne?

Zhōngcūn: Míngtiān shì qíngtiān.

Dàwèi： Lǎoshī, Běijīng qiūtiān de tiānqì zěnmeyàng?

Liú Míng：Bù lěng bú rè, hěn shūfu, shì zuì hǎo de jìjié.

Dàwèi： Dōngtiān ne? Tīngshuō Běijīng de dōngtiān hěn lěng, shì ma?

Liú Míng：Duì, Běijīng de dōngtiān bǐjiào lěng, zuì lěng chà bu duō líng-
xià shíwǔ dù.

Dàwèi： Chángcháng xià xuě ma?

Liú Míng：Bù cháng xià xuě. Dàwèi, nǐ zuì xǐhuan nǎ ge jìjié?

Dàwèi： Wǒ xǐhuan xiàtiān, wǒ xǐhuan yóuyǒng. Lǎoshī, nín ne?

Liú Míng：Wǒ xǐhuan chūntiān.

New Words and Expressions 生词语

1.	冬天	（名）	dōngtiān	winter
2.	比较	（副）	bǐjiào	quite; rather
3.	冷	（形）	lěng	cold
4.	天气	（名）	tiānqì	weather
5.	怎么样	（代）	zěnmeyàng	how about
6.	不太		bú tài	not so
7.	风	（名）	fēng	wind
8.	雨	（名）	yǔ	rain
9.	度	（量）	dù	degree, *a measure word*
10.	晴天	（名）	qíngtiān	sunny day
11.	秋天	（名）	qiūtiān	autumn
12.	热	（形）	rè	hot
13.	舒服	（形）	shūfu	comfortable
14.	最	（副）	zuì	most
15.	季节	（名）	jìjié	season
16.	差不多		chà bu duō	almost; nearly
17.	零下	（名）	língxià	below zero
18.	常常	（副）	chángcháng	often; usually
19.	下	（动）	xià	fall
20.	雪	（名）	xuě	snow
21.	常	（副）	cháng	often; usually
22.	喜欢	（动）	xǐhuan	like

23. 夏天	（名）	xiàtiān	summer
24. 游泳	（动）	yóuyǒng	swim
25. 春天	（名）	chūntiān	spring

Proper Nouns 专有名词

北京　　　　　Běijīng　　　　　Beijing

注释 Note

① 二十度 (Twenty degrees)：中国计量温度所使用的单位是摄氏度，不是华氏度。(In China, the thermometer scale is Celcius rather than Fahrenheit.)

② 不常下雪："常常"的否定形式是"不常"，而不是"不常常"。(The negative of "常常" is "不常", and not "不常常".)

　　例：我不常看电影。/他不常游泳。

③ 最 (Most)："最+adj"表示三个以上的事物里程度最高的一个。("最+adj" indicates that one out of a group of at least three things is of the most extreme extent.)

　　例 1. 大卫的自行车最好。
　　　　2. 北京的秋天是最好的季节。

语言点 Grammatical Key Points

一　形容词谓语（Adjectival predicates）

汉语中的形容词做谓语，不需要用"是"。(In Chinese, when the adjective acts as the predicate, "是" is not necessary.)

　　例：1. 老师好。
　　　　2. 北京的冬天比较冷。
　　　　3. 今天的天气不太舒服。
　　　　4. 他的房间很小。

做谓语的形容词前常常加程度副词，不加时往往有对比的意思。(Often there will be an adverb in front of the adjective. If there is no advrb, there is usually a comparison.)

　　例：我的房间大，他的房间小。

二 "怎么样"(How (is))

"怎么样"放在句尾，用来询问天气、身体、学习等很多方面的情况。(Often placed at the end of a sentence, "怎么样" is used to inquire about the weather, health, one's studies or other conditions.)

例：1. 今天的天气怎么样？

2. 你爷爷的身体 (shēntǐ) 怎么样？

3. 东方大学的留学生宿舍怎么样？

三 "不 A 不 B"(Not A and not B)

"不A不B"表示正好，A、B为相反意义的形容词。("Not A and not B" is used to specify perfect suitability (just right) in which A and B are adjectival antonyms.)

例：不大不小／不多不少／不早不晚／不胖不瘦

练习 Exercises

一 语音练习（Pronunciation exercises）

（一）读音 (Pronunciation)

yì fēng　yì tiáo　yì běn　yì píng　yí dùn　yí miàn

（二）听读后选择(Select the word that you hear being read)

1. yī pán—yì pán
2. yī fēn—yì fēn
3. yī liǎng—yì liǎng
4. yī luò—yí luò

二 看图读出下列温度表上的数字并用适当的词填空（Look at the picture and read aloud the following temperatures while filling in the blanks with the appropriate words）

例：−13℃（很冷）　　（　　）　　　（　　）

（　　）　　　　　（　　）　　　　　（　　）

三　选词填空（Select the word that best fills in the blank）

不太　比较　差不多　最　常常

1. 我们学校早上八点上课，（　　）早。

2. 北京的夏天（　　）下雨。

3. 我的同学（　　）都有自行车。

4. 今天的天气很热，（　　）舒服。

5. 中村的汉语书（　　）多。

四　把下列句子改成用"怎么样"的疑问句（Use"怎么样"to change the following sentences into questions）

1. 北京的冬天比较冷。＿＿＿＿＿＿＿＿

2. 这个电影很好。＿＿＿＿＿＿＿＿＿

3. 我的房间很小，不太舒服。＿＿＿＿＿＿

4. 东方大学的图书馆很大（dà）。＿＿＿＿＿

5. 爷爷的身体（shēntǐ）很好。＿＿＿＿＿

五　替换练习（Substitution exercises）

1. A：今天的天气怎么样？

B：　不太好　，　有风，下午有雨　。

很好　　　　　没有风

上午比较好　　　不过晚上有雨

很热　　　　　没有风，也不下雨

比较冷　　　　下午有小雪

2. A：北京的　冬天　怎么样？

春天

夏天

秋天

B：[比较冷]，[最冷差不多零下十五度]。
　　[很好]　[不过常常有风]
　　[很热]　[最热差不多三十八度]
　[不冷不热]　[是最好的季节]

六　**用指定的词完成对话**（Complete the dialogues by using the words provided）

1. A：＿＿＿＿＿＿＿＿＿＿＿＿＿＿＿＿。（听说）
　 B：对，学生宿舍比较小。

2. A：＿＿＿＿＿＿＿＿＿＿＿＿＿＿＿？（常常）
　 B：不，我不常看电影。

3. A：中国人的家里一般有几个孩子？
　 B：＿＿＿＿＿＿＿＿＿＿＿＿＿＿＿。（差不多）

4. A：北京的秋天怎么样？
　 B：＿＿＿＿＿＿＿＿＿＿＿＿＿＿。（不A不B）

七　**完成段落并仿写**（Complete the segments, then write sentences of your own in the same format in accordance with the examples given）

1. 今天的天气（　　）好，有风，下午有（　　）。

2. 北京的秋天不（　　）不（　　），是（　　）好的季节。
北京的冬天（　　）冷，最冷差不多（　　）十五度。

3. 大卫最喜欢（　　），他喜欢（　　）。刘老师不喜欢（　　），他喜欢（　　）。

Additional Vocabulary　补充词语

1. 大　　（形）　　dà　　　　　　big; large
2. 身体　（名）　　shēntǐ　　　　body; health

八 汉字练习（Chinese character exercises）

模仿书写下列汉字 （Write down the following words using the correct stroke sequence）

 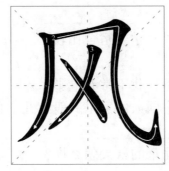 

第十二课　你在干什么呢？

Dì-shíèr kè　Nǐ zài gàn shénme ne?

（在电话里）

大　卫：喂，你好！

玛　丽：喂，大卫，是我，玛丽。

大　卫：啊，玛丽，你好！

玛　丽：大卫，你在干什么呢？

大　卫：我正在做作业呢。

玛　丽：是吗？你每天都有很多作业吗？

大　卫：不是。今天是星期三，从早上八点到中午十二点，我有四节课，明天还有听写，所以作业很多。你呢？在干什么？

玛　丽：我在酒吧喝咖啡呢。

大　卫：哪个酒吧？

玛　丽：学校书店对面的那个。

大　卫：你自己吗？

玛　丽：不，还有我的同屋和她的朋友，他们在唱卡拉OK。

大　卫：明天你们没有课吗？

玛　丽：有，我们十点就回宿舍。

Dàwèi:　Wèi, nǐ hǎo!

Mǎlì:　Wèi, Dàwèi, shì wǒ, Mǎlì.

Dàwèi:　À, Mǎlì, nǐ hǎo!

Mǎlì:　Dàwèi, nǐ zài gàn shénme ne?

Dàwèi:　Wǒ zhèngzài zuò zuòyè ne.

Mǎlì:　Shì ma? Nǐ měi tiān dōu yǒu hěn duō zuòyè ma?

Dàwèi:　Bú shì. Jīntiān shì xīngqīsān, cóng zǎoshang bā diǎn dào zhōngwǔ shí'èr diǎn, wǒ yǒu sì jié kè, míngtiān hái yǒu tīngxiě, suǒyǐ zuòyè hěn duō. Nǐ ne? Zài gàn shénme?

Mǎlì:　Wǒ zài jiǔbā hē kāfēi ne.

Dàwèi： Nǎ ge jiǔbā?

Mǎlì： Xuéxiào shūdiàn duìmiàn de nà ge.

Dàwèi： Nǐ zìjǐ ma?

Mǎlì： Bù, hái yǒu wǒ de tóngwū hé tā de péngyou, tāmen zài chàng kǎlā-OK.

Dàwèi： Míngtiān nǐmen méiyǒu kè ma?

Mǎlì： Yǒu, wǒmen shí diǎn jiù huí sùshè.

New Words and Expressions 生词语

1.	在	（副）	zài	*indicating an action in progress*
2.	干	（动）	gàn	to do
3.	喂	（叹）	wèi	hello
4.	啊	（叹）	à	ah; oh
5.	正在	（副）	zhèngzài	in process of
6.	做	（动）	zuò	to do
7.	作业	（名）	zuòyè	homework
8.	每	（代）	měi	every
9.	天	（名）	tiān	day
10.	多	（形）	duō	a lot of; many
11.	星期三	（名）	xīngqīsān	Wednesday
12.	从…到…		cóng...dào...	from...to...
13.	中午	（名）	zhōngwǔ	noon
14.	四	（数）	sì	four
15.	节	（量）	jié	period, *measure word*
16.	听写	（名）	tīngxiě	dictation quiz
17.	所以	（连）	suǒyǐ	so; therefore
18.	酒吧	（名）	jiǔbā	bar
19.	喝	（动）	hē	drink
20.	咖啡	（名）	kāfēi	coffee
21.	书店	（名）	shūdiàn	bookstore
22.	对面	（名）	duìmiàn	across

23.	自己	（代）	zìjǐ	oneself
24.	唱	（动）	chàng	sing
25.	卡拉OK	（名）	kǎlā-OK	Karaoke
26.	回	（动）	huí	come back; return

注释 Note

① 喂：中国人打电话时常用的招呼语。("喂"Frequently used by the Chinese people to greet a person on the phone.)

② 我们十点就回宿舍："就"在此处表示时间早。("就" here is used to indicate that it is earlier than the expected time.)

语言点 Grammatical Key Points

一 "正在/在……呢"（Is （+what would be the present participle in English）+呢）

"正在……呢"、"在……呢"表示正在进行的动作或存在的状态。（"正在……呢"、"在……呢" is an adverbial modifier used to indicate an action which is presently in motion or a condition already in existence.）

例：1. 我正在看电影呢。

2. 大卫正在喝啤酒呢。

3. 张红在唱卡拉OK呢。

4. 外面在下雨呢。

二 "从……到……"（1）

表示时间。（"From…until/till/to…" is used to denote time intervals.）

例：1. 我从八点到十点有课。

2. 中村从下午四点到晚上八点有时间。

3. 他们从星期一到星期五都有课。

三 "每……都……"（Each/Every…）

表示没有例外。（"每……都……" implies without

exception.）

例：1. 我每天早上都喝咖啡。

2. 他们每个人都知道。

3. 这儿每天都下雨。

4. 玛丽每个星期六都看电影。

四 星期的表达（How to form expressions involving the days of the week）

汉语的星期是由"星期+一/二/三/四/五/六"构成，星期日例外。（In Chinese, with the exception of Sunday, the days of the week are expressed using the following pattern: "星期 (week) +a number from Monday to Saturday".）

例：星期一、星期二、星期三、星期四、星期五、星期六、星期日（星期天）

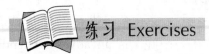 练习 Exercises

 一 语音练习（Pronunciation exercises）

（一）读音（Pronunciation）

bú duì　　bú kàn　　bù tīng　　bù xíng　　bù hǎo

（二）听读后选择（Select the word that you hear being read）

1. bù dāng—bú dāng　　　2. bú fǎn—bù fǎn

3. bù luàn—bú luàn　　　4. bù nào—bú nào

 二 看课表说时间安排（Study the class schedule provided below and follow the example to convey what has been planned for the day）

例：今天是星期三，我上午下午都有课，晚上还有讲座（jiǎngzuò）。

课 程 表

		星期一	星期二	星期三	星期四	星期五
第一节 第二节	8:00—9:50	汉语	口语	口语		汉语
第三节 第四节	10:10—12:00	口语	汉语		汉语	口语
第五节 第六节	2:00—3:50		听力	汉字	听力	
第七节 第八节	4:10—6:00		电影			
第九节 第十节	7:00—8:50			讲座		

三　选词填空（Select the word that best fills in the blank）

所以　对面　就　节　自己

1. 上午有课，（　　）我没去图书馆。

2. 大卫没有时间，玛丽（　　）去看电影。

3. 我们学校早上八点（　　）上课，太早了。

4. 我在201，她在202，她的房间在我的房间的（　　）。

5. 从星期一到星期四，每天我都有四（　　）课。

四　用"正在/在……呢"回答问题（Use "正在/在……呢" to answer the following questions）

A：你在干什么呢？

B：我在＿＿＿做作业＿＿＿呢。

　　　喝啤酒

买磁带

看电影

唱卡拉OK

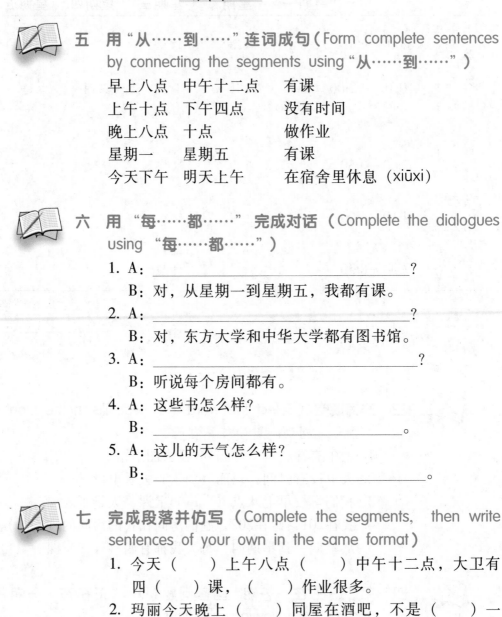

五 用"从……到……"连词成句（Form complete sentences by connecting the segments using "从……到……"）

早上八点	中午十二点	有课
上午十点	下午四点	没有时间
晚上八点	十点	做作业
星期一	星期五	有课
今天下午	明天上午	在宿舍里休息（xiūxi）

六 用"每……都……"完成对话（Complete the dialogues using "每……都……"）

1. A：＿＿＿＿＿＿＿＿＿＿＿＿＿＿？
   B：对，从星期一到星期五，我都有课。
2. A：＿＿＿＿＿＿＿＿＿＿＿＿＿＿？
   B：对，东方大学和中华大学都有图书馆。
3. A：＿＿＿＿＿＿＿＿＿＿＿＿＿＿？
   B：听说每个房间都有。
4. A：这些书怎么样？
   B：＿＿＿＿＿＿＿＿＿＿＿＿＿＿。
5. A：这儿的天气怎么样？
   B：＿＿＿＿＿＿＿＿＿＿＿＿＿＿。

七 完成段落并仿写（Complete the segments, then write sentences of your own in the same format）

1. 今天（　　）上午八点（　　）中午十二点，大卫有四（　　）课，（　　）作业很多。

2. 玛丽今天晚上（　　）同屋在酒吧，不是（　　）一个人。玛丽明天有课，（　　）他们十点（　　）回宿舍。

Additional Vocabulary 补充词语

1. 讲座	（名）	jiǎngzuò	lecture
2. 星期一	（名）	xīngqīyī	Monday
3. 星期五	（名）	xīngqīwǔ	Friday
4. 星期六	（名）	xīngqīliù	Saturday
5. 休息	（动）	xiūxi	rest

八 汉字练习（Chinese character exercises）

模仿书写下列汉字（Write down the following words using the correct stroke sequence）

第十三课　我 去邮局取包裹

(在路上)

李　军：你好，大卫。你去哪儿？

大　卫：我去邮局取包裹，你呢？

李　军：我先去商店买东西，然后去
　　　　图书馆发 E-mail。

大　卫：我也要发 E-mail，咱们一起
　　　　去吧。

李　军：你不去邮局吗？

大　卫：邮局六点关门，没问题。

玛　丽：中村，明天是星期天，你打
　　　　算干什么？

中　村：我打算去商店买东西。

玛　丽：是学校的商店吗？

中　村：不，是去购物中心。

玛　丽：那儿的东西贵不贵？

中　村：还可以。那儿的东西很多，
　　　　质量也不错。

玛　丽：我正打算买衣服呢，明天和你一起去，好不好？

中　村：好啊。

玛　丽：咱们几点去？

中　村：购物中心九点开门，咱们十点去吧。

(在食堂)

Lǐ Jūn:　Nǐ hǎo, Dàwèi. Nǐ qù nǎr?

Dàwèi:　Wǒ qù yóujú qǔ bāoguǒ, nǐ ne?

Lǐ Jūn:　Wǒ xiān qù shāngdiàn mǎi dōngxi, ránhòu qù túshūguǎn fā
　　　　　E-mail.

Dàwèi： Wǒ yě yào fā E-mail, zánmen yìqǐ qù ba.

Lǐ Jūn： Nǐ bú qù yóujú ma?

Dàwèi： Yóujú liù diǎn guān mén, méi wèntí.

Mǎlì： Zhōngcūn, míngtiān shì xīngqītiān, nǐ dǎsuan gàn shénme?

Zhōngcūn：Wǒ dǎsuan qù shāngdiàn mǎi dōngxi.

Mǎlì： Shì xuéxiào de shāngdiàn ma?

Zhōngcūn：Bù, shì qù gòuwù zhōngxīn.

Mǎlì： Nàr de dōngxi guì bú guì?

Zhōngcūn：Hái kěyǐ. Nàr de dōngxi hěn duō, zhìliàng yě búcuò.

Mǎlì： Wǒ zhèng dǎsuan mǎi yīfu ne, míngtiān hé nǐ yìqǐ qù, hǎo bù hǎo?

Zhōngcūn：Hǎo a.

Mǎlì： Zánmen jǐ diǎn qù?

Zhōngcūn：Gòuwù zhōngxīn jiǔ diǎn kāi mén, zánmen shí diǎn qù ba.

New Words and Expressions 生词语

1.	邮局	（名）	yóujú	post office
2.	取	（动）	qǔ	to pick up
3.	包裹	（名）	bāoguǒ	package
4.	先	（副）	xiān	first
5.	商店	（名）	shāngdiàn	store
6.	东西	（名）	dōngxi	thing
7.	然后	（副）	ránhòu	then
8.	发	（动）	fā	send
9.	咱们	（代）	zánmen	we; us
10.	一起	（副）	yìqǐ	together
11.	关	（动）	guān	close
	关门		guān mén	close; shut the door
12.	星期天	（名）	xīngqītiān	Sunday
13.	打算	（动）	dǎsuan	be going to do; intend

14.	购物		gòu wù	shopping
15.	中心	（名）	zhōngxīn	center
	购物中心		gòuwù zhōngxīn	Shopping Plaza
16.	贵	（形）	guì	expensive
17.	还可以		hái kěyǐ	so-so
18.	质量	（名）	zhìliàng	quality
19.	不错	（形）	búcuò	good; not bad
20.	正	（副）	zhèng	just
21.	衣服	（名）	yīfu	clothes
22.	开	（动）	kāi	open
	开门		kāi mén	open; open the door

注释 Note

　　还可以：意思是不太好，也不太坏，常用来回答"怎么样"问句。（"还可以" is used to indicate that something is neither very good nor very bad; so-so, passable, average.　It is often used to reply to questions of "怎么样".）

　　例：1. A：这本汉语书怎么样？
　　　　　 B：还可以。
　　　　2. A：今天的天气怎么样？
　　　　　 B：还可以。

语言点 Grammatical Key Points

一　连动句 (Two connected sentences)

　　"S+VP₁+VP₂"，VP₂可以是VP₁的目的。(In the "subject+ verb phrase 1 +verb phrase 2" configuration, the verb in phrase 2 is usually the objective or motive of the verb in phrase 1.)

　　例：1. 我去商店买东西。

　　　　2. 大卫去邮局取包裹。

3. 玛丽去电影院看电影。

4. 学生们去教室上课。

二 "先……然后……"(First... then...)

表示动作在时间上的先后顺序。("先……然后……" is used to indicate the succession of two actions within a given time period.)

例:1. 我先去图书馆看书,然后去商店买东西。

2. 大卫先去邮局取包裹,然后回宿舍。

3. 李军先去发 E-mail,然后去看电影。

4. 他先去商店买衣服,然后去书店买词典。

三 "A 不 A"和"V 不 V" ("A 不 A" and "V 不 V")

"A不A" 和 "V不V"是正反问句,意思相当于 "A吗" 或 "V吗"。(In Chinese, "Adjective+不+Adjective" and "verb+不+verb" can be both used to form interrogative sentences.)

例:1. 北京的冬天冷不冷?　　(=北京的冬天冷吗?)

2. 衣服的质量好不好?　　(=衣服的质量好吗?)

3. 你看不看电影?　　(=你看电影吗?)

4. 大卫去不去商店?　　(=大卫去商店吗?)

注意: 正反问句的句尾不用 "吗"。(When using this form of inquiry, the "吗", often used at the end of a question, is excluded.)
如:北京的冬天冷不冷吗? (×)。

四 "咱们"和"我们" (We)

"咱们" 一般包括说话者和听话者,如例1、例2;而 "我们" 可以包括听说双方,如例3,也可以不包括听话者,如例4。("咱们" usually includes both the speaker and the listener (s) (as in examples 1 and 2). On the other hand, "我们" can include the speaker and the listener (as in example 3) or simply the speaker but not the listener (as in example 4.)

例：1. 大卫，咱们一起去看电影吧？

2. 明天是星期天，咱们去酒吧喝啤酒，好吗？

3. 玛丽，下午我们一起去图书馆，好吗？

4. 老师，我们明天有听写吗？

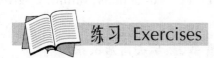 练习 Exercises

 一 **语音练习**（Pronunciation exercises）

（一）读音（Pronunciation）

	i	ia	ie	iao	iu	ian	in	iang	ing	iong
j	ji	jia	jie	jiao	jiu	jian	jin	jiang	jing	jiong
q	qi	qia	qie	qiao	qiu	qian	qin	qiang	qing	qiong
x	xi	xia	xie	xiao	xiu	xian	xin	xiang	xing	xiong

（二）听读后选择（Select the word that you hear being read）

1. jī—qī　　　　2. xióng—qióng　　　3. qián—qiáng

4. jiū—qiū　　　5. jiě—jǐn　　　　　6. qià—qiè

7. qiáo—qiǎo　　8. jiāng—jiǒng　　　9. xīng—xīn

 二 **选词填空**（Select the word that best fills in the blank）

取　发　打算　贵　关门　开门

1. 学校的商店上午八点（　　　）。

2. 我下午去邮局（　　）包裹。

3. 你知道酒吧晚上几点（　　　）吗？

4. 今天晚上你（　　）干什么？

5. 一瓶啤酒三块钱，不（　　）。

6. 我去图书馆（　　）E-mail。

三 **替换练习** （Substitution exercises）

1. A：你去哪儿？

　B：我 去邮局取包裹 。

　　　去商店买东西

　　　去教室上课

　　　去图书馆发E-mail

　　　去书店买词典

2. A：明天是星期六，你打算干什么？

　B：我打算 去商店买衣服 。

　　　　去中华大学玩儿

　　　　去酒吧喝咖啡

　　　　去图书馆看书

　　　　在房间里做作业

四 **用指定的词语完成对话** （Complete the dialogues by using the words provided）

1. A：你下午去哪儿？

　B：_____（先……然后……）

2. A：_____？（打算）

　B：去书店买书。

3. A：酒吧的咖啡贵不贵？

　B：_____，_____。（还可以）

4. A：你那儿的天气怎么样？

　B：不太好，_____。（正……呢）

五 **把下列句子改成** "A 不 A"、"V 不 V" **问句** （Change the following sentences into questions using the "adj+不+adj" or the "verb+不+verb"）

1. 我们明天没有汉语课。_____

2. 玛丽晚上去酒吧。_____

3. 中村不喝咖啡。_____

4. 北京的冬天比较冷。_____

5. 购物中心的东西不太贵。_____

6. 学校的书店晚上不开门。_____

六　用"我们"、"你们"或"咱们"填空（Fill in the blanks with either "我们","你们" or "咱们"）

1. A：今天天气很好，（　　　）去玩儿吧。

B：好呀。

2. A：玛丽，明天没有课，（　　　）晚上去酒吧，好吗？

B：对不起，我有作业，（　　　）去吧。

3. A：大卫，明天（　　　）打算去看电影，你去吗？

B：当然去。

4. A：玛丽，你知道（　　　）学校有多少留学生吗？

B：听说有五十个。

七　完成段落并仿写（Complete the paragraphs, then write paragraphs of your own in the same formats）

1. 大卫要（　　　）邮局（　　　）包裹，他听说李军要（　　　）图书馆（　　　）E-mail，也要一起去。大卫打算（　　　）去图书馆，（　　　）去邮局。

2. 明天是星期六，中村（　　　）去购物中心（　　　）东西，那儿的东西不太（　　　），玛丽（　　　）打算买（　　　）呢，她要（　　　）中村一起（　　　）。

八 汉字练习（Chinese character exercises）

模仿书写下列汉字 （Write down the following words using the correct stroke sequence）

第十四课 我 喜欢 浅 颜色的

Dì-shísì   kè   Wǒ xǐhuan qiǎn yánsè de

(在购物中心)

玛　丽：中村,你看,那件白毛衣怎么样?

中　村：挺好看的。不过，白的容易脏。那件蓝的怎么样?

玛　丽：蓝的有点儿深，我喜欢浅颜色的。

中　村：那件黄的呢?

玛　丽：不错,挺漂亮的,就买它吧。

(在校园)

大　卫：玛丽,这是你的自行车吗?

玛　丽：对,我昨天买的,怎么样?

大　卫：挺漂亮的。不是新的吧?

玛　丽：对，我买的是一辆旧的,旧的比较便宜,也不容易丢。

大　卫：有别的颜色吗?

玛　丽：有,有黑的、蓝的，还有灰的、黄的。你喜欢什么颜色的?

大　卫：我喜欢绿的。

Mǎlì:　　Zhōngcūn, nǐ kàn, nà jiàn bái máoyī zěnmeyàng?

Zhōngcūn：Tǐng hǎokàn de. Búguò, báide róngyì zāng. Nà jiàn lánde zěnmeyàng?

Mǎlì:　　Lánde yǒudiǎnr shēn, wǒ xǐhuan qiǎn yánsè de.

Zhōngcūn：Nà jiàn huángde ne?

Mǎlì:　　Búcuò, tǐng piàoliang de, jiù mǎi tā ba.

Dàwèi： Mǎlì, zhè shì nǐ de zìxíngchē ma?

Mǎlì： Duì, wǒ zuótiān mǎi de, zěnmeyàng?

Dàwèi： Tǐng piàoliang de. Bú shì xīnde ba?

Mǎlì： Duì, wǒ mǎi de shì yí liàng jiùde, jiùde bǐjiào piányi, yě bù róngyì diū.

Dàwèi： Yǒu biéde yánsè ma?

Mǎlì： Yǒu, yǒu hēide, lánde, hái yǒu huīde, huángde. Nǐ xǐhuan shénme yánsè de?

Dàwèi： Wǒ xǐhuan lǜde.

New Words and Expressions   生词语

1.	浅	（形）	qiǎn	pastel; light
2.	颜色	（名）	yánsè	color
3.	件	（量）	jiàn	*a measure word*
4.	白	（形）	bái	white
5.	毛衣	（名）	máoyī	sweater
6.	挺	（副）	tǐng	very
7.	好看	（形）	hǎokàn	nice; good-looking
8.	容易	（形）	róngyì	easy; easily
9.	脏	（形）	zāng	dirty
10.	蓝	（形）	lán	blue
11.	有点儿		yǒudiǎnr	a bit
12.	深	（形）	shēn	dark
13.	黄	（形）	huáng	yellow
14.	漂亮	（形）	piàoliang	pretty; beautiful
15.	它	（代）	tā	it
16.	昨天	（名）	zuótiān	yesterday
17.	新	（形）	xīn	new
18.	辆	（量）	liàng	*a measure word*
19.	旧	（形）	jiù	old
20.	便宜	（形）	piányi	cheap
21.	丢	（动）	diū	lost

22.	别的	（代）	biéde	another
23.	黑	（形）	hēi	black
24.	灰	（形）	huī	gray
25.	绿	（形）	lǜ	green

 语言点（Grammatical Key Points）

一 "的"字词组

　　"X+的"可以构成"的"字词组，"X"可以是名词（例1）、代词（例2）、动词（例3）和形容词（例4）等。"的"字词组的功能相当于一个名词。(Phrases containing "的" are composed of "X + 的" in which "X" can be a noun (example 1), a pronoun (example 2), a verb (example 3), an adjective (example 4) and so on. "的" phrases act as one noun.)

　　　　例：1. 这本词典是英文的。

　　　　　　2. 那辆自行车是我的。

　　　　　　3. 她买的便宜，我买的贵。

　　　　　　4. 玛丽的毛衣是红的。

二 "挺+A"（Rather/Quite/Very...）

　　表示程度比较高，相当于"很",常跟"的"一起使用。("挺+Adjective" indicates that the adjective is to a rather high degree; this structure is of an equivalence to that of "很+Adjective".)

　　　　例：1. 学校商店的东西挺贵的。

　　　　　　2. 你的毛衣挺漂亮。

　　　　　　3. 北京的冬天挺冷的。

　　　　　　4. 学生宿舍挺小的。

三 "有(一)点儿"（A little bit／Kind of）

　　"有（一）点儿"放在形容词前面，表示不多、稍微，"一"可以省略。多用于不如意的事情。("有（一）点儿", placed in front of the adjective, is used to indicate "a little", "a bit", "a trifle", "kind of"...in which the "一"may be omitted.)

例：1. 今天有点儿冷。

2. 黑的有点儿深。

3. 那儿的东西有（一）点儿贵。

4. 他有（一）点儿不高兴。

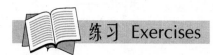 练习 Exercises

 一 **语音练习**（Pronunciation exercises）

（一）**读音**（**Pronunciation**）

	ü	üe	üan	ün
j	ju	jue	juan	jun
q	qu	que	quan	qun
x	xu	xue	xuan	xun

（二）**听读后选择** （**Select the word that you hear being read**）

1. jū—qū   2. juē—jūn   3. qǔ—xué

4. xuān—xuē   5. xún—xuán   6. jiě—jué

7. qiàn—quàn   8. qiú—qún

 二 **说出你最喜欢的颜色，并描述一下你们国家的国旗颜色**（Explain your favorite color, then describe the colors of your country's flag）

 三 **用下列颜色词填空**（Use the following color words to fill in the blanks）

红　黄　蓝　绿　黑　白　灰

1. 我的毛衣是（　）的，不是（　）的。

2. 天 (tiān) 是蓝的，草 (cǎo) 是（　）的，花 (huā) 是（　）的。

3. 玛丽的自行车是（　）的，不是（　）的。

四 写出下列词语的反义词（Supply the following words with their antonyms）

1. 黑——　　　2. 深——　　　3. 贵——

4. 冷——　　　5. 新——　　　6. 开门——

五 选词填空（Select the word that best fills in the blank）

挺　更　有点儿　别的

1. 那件红毛衣（　）漂亮的。

2. 这个房间（　　　）小，那个房间比较大 (dà)。

3. 这个商店的东西很贵，那个商店的东西（　）贵。

4. 请问，有（　　）汉语词典吗？

六 替换练习（Substitution exercises）

1. A： 那件白毛衣 怎么样？
　　 今天的天气
　　 学校商店的东西
　　 这本词典

　 B：挺 好看 的，不过， 那件蓝的 更 漂亮 。
　　　 热　　　　　　　明天　　　热
　　　 便宜　　　　　别的商店　　便宜
　　　 不错　　　　　那本词典　　好

2. 这件蓝的 有点儿 深 ，我喜欢 浅颜色的 。
　 这个　　　　旧　　　　新的
　 新车　　　　贵　　　　便宜的
　 咖啡　　　　热　　　　凉(liáng)的

七 用指定的词语完成对话（Complete the dialogues by using the words provided）

1. A：你看我这件毛衣怎么样？

　 B：＿＿＿＿＿＿＿。（挺……的）

2. A：＿＿＿＿＿＿＿？（别的）

B：他们在宿舍里喝啤酒呢。

3. A：购物中心的东西贵不贵？

　　 B：＿＿＿＿＿＿＿＿＿＿＿。（有点儿）

4. A：今天你没有时间，明天呢？

　　 B：＿＿＿＿＿＿＿＿＿＿＿。（更）

八　完成段落并仿写（Complete the paragraphs, then write paragraphs of your own in the same format）

1. 中村觉得（juéde）白毛衣很（　），不过蓝的（　）漂亮。（　）玛丽不喜欢深颜色的，她喜欢（　）颜色的。

2. 玛丽（　）的自行车是（　）的，因为（yīnwèi）旧的比较（　），也不（　）丢。

3. 大卫不喜欢红的、蓝（　），（　）不喜欢黑（　）、（　）的，他喜欢（　）的。

Additional Vocabulary　补充词语

1. 天	（名）	tiān	sky; heaven
2. 草	（名）	cǎo	grass
3. 花	（名）	huā	flower
4. 大	（形）	dà	big; large
5. 凉	（形）	liáng	cool; cold
6. 觉得	（动）	juéde	think; feel
7. 因为	（连）	yīnwèi	because

九 汉字练习（Chinese character exercises）

模仿书写下列汉字（Write down the following words using the correct stroke sequence）

第十五课 明天 是我 朋友 的生日
Dì-shíwǔ kè Míngtiān shì wǒ péngyou de shēngrì

（在宿舍）

玛　丽：中村,从晚饭以后到现在,你一直在忙,忙什么呢?

中　村：我在准备礼物呢。

玛　丽：准备礼物?

中　村：对,明天是我朋友的生日,我要做一个蛋糕送她。

玛　丽：你自己做?

中　村：对,自己做的比较特别。

（在商店）

李　军：大卫,你说,送生日礼物,什么东西比较好?

大　卫：你打算送给谁?男的还是女的?

李　军：女的。

大　卫：可送的很多啊,比如巧克力。

李　军：她不喜欢甜的。

大　卫：衣服呢?

李　军：她的衣服号我不知道,也不知道她喜欢什么颜色。

大　卫：那么送一束花吧,每个女孩子都喜欢花。

李　军：这个主意挺不错的。

Mǎlì:　　Zhōngcūn, cóng wǎnfàn yǐhòu dào xiànzài, nǐ yìzhí zài máng, máng shénme ne?

Zhōngcūn: Wǒ zài zhǔnbèi lǐwù ne.

Mǎlì:　　Zhǔnbèi lǐwù?

Zhōngcūn: Duì, míngtiān shì wǒ péngyou de shēngrì, wǒ yào zuò yí ge dàngāo sòng tā.

Mǎlì:　　Nǐ zìjǐ zuò?

Zhōngcūn: Duì, zìjǐ zuòde bǐjiào tèbié.

Lǐ Jūn： Dàwèi, nǐ shuō, sòng shēngrì lǐwù, shénme dōngxi bǐjiào hǎo?

Dàwèi： Nǐ dǎsuan sòng gěi shuí? Nánde háishi nǚde?

Lǐ Jūn： Nǚde.

Dàwèi： Kě sòng de hěn duō a, bǐrú qiǎokèlì?

Lǐ Jūn： Tā bù xǐhuan tiánde.

Dàwèi： Yīfu ne?

Lǐ Jūn： Tā de yīfu hào wǒ bù zhīdào, yě bù zhīdào tā xǐhuan shénme yánsè.

Dàwèi： Nàme sòng yí shù huā ba, měi ge nǚ háizi dōu xǐhuan huā.

Lǐ Jūn： Zhè ge zhǔyi tǐng búcuò de.

New Words and Expressions 生词语

1.	生日	（名）	shēngrì	birthday
2.	晚饭	（名）	wǎnfàn	supper; dinner
3.	以后	（名）	yǐhòu	after
4.	一直	（副）	yìzhí	always; all along
5.	忙	（形）	máng	busy
6.	准备	（动）	zhǔnbèi	prepare
7.	礼物	（名）	lǐwù	gift
8.	蛋糕	（名）	dàngāo	cake
9.	送	（动）	sòng	give; give as a present
10.	特别	（形）	tèbié	special
11.	说	（动）	shuō	say
12.	男	（形）	nán	male
13.	还是	（连）	háishi	or
14.	女	（形）	nǚ	female
15.	可	（副）	kě	worth; can; possible
16.	巧克力	（名）	qiǎokèlì	chocolate
17.	甜	（形）	tián	sweet
18.	号	（名）	hào	size
19.	那么	（连）	nàme	then
20.	束	（量）	shù	a bouquet of, *a measure word*
21.	花	（名）	huā	flower
22.	主意	（名）	zhǔyi	idea

注释
Note

① 男的还是女的："(是)……还是……"是选择问句。("(是)……还是……" indicates the presence of selective options within a question.)

例：1. 你喜欢红的还是蓝的？

2. 你去还是我去？

② 可送的很多啊："可+V"，表示值得V。("可+V" indicates that the verb is worth doing or should be done.)

例：1. 电影很多，可是可看的不多。

2. 星期天可去的地方很多。

单元小结（三）

语言点	课文序号	例句
1. 形容词谓语	11	北京的冬天很冷。
2. "怎么样"	11	那儿的天气怎么样？
3. "不A不B"	11	不冷不热/不大不小
4. "正在/在……呢"	12	我正在喝咖啡呢。
5. "从……到……"	12	从星期一到星期三,我每天都有课。
6. "每……都……"	12	他每天都去学校。
7. 星期的表达	12	星期一/二/三/四/五/六/日
8. 连动句	13	我去图书馆发E-mail。
9. "先……然后……"	13	我先去商店买东西,然后去邮局取包裹。
10. "A不A"和"V不V"	13	今天的天气好不好？/你去不去？
11. "咱们"和"我们"	13	咱们去书店吧。/我们今天没有课。
12. "的"字词组	14	我喜欢红的。/那本书是他的。
13. "挺+A"	14	这件衣服挺漂亮的。
14. "有(一)点儿"	14	蓝的有点儿深。

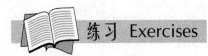

练习 Exercises

一 语音练习（Pronunciation exercises）

（一）读音（Pronunciation）

Xiǎo Xú hé Xiǎo Jú,	小徐和小菊，
Qú biān xià xiàngqí.	渠边下象棋。
Tiào dào qú li qù mō yú,	跳到渠里去摸鱼，
Mō tiáo jǐyú hǒng Xiǎo Jú.	摸条鲫鱼哄小菊。
Xiǎo Jú gùyì qì Xiǎo Xú,	小菊故意气小徐，
Wǒ yào jìxù xià xiàngqí.	我要继续下象棋。

（二）听读后选择（Select the word that you hear being read）

1. jú—qú　　2. xià—xiàng　　3. qí—qì

4. xú—jú　　5. dáo—yào　　6. xiǎo—tiāo

二 量词填空（Fill in the blanks with the appropriate measure words）

1. 一（　）自行车　2. 一（　）毛衣　3. 一（　）花

4. 一（　）蛋糕　5. 一（　）主意　6. 一（　）课

三 选词填空（Select the word that best fills in the blank）

从　在　最　就　先　挺　更　正

1. 商店买的礼物挺好，不过，自己做的礼物（　）好。

2. 今天早上八点，我（　）教室里上课呢。

3. 刘老师的学生里，玛丽的汉语（　）好。

4. 邮局在商店对面，一分钟（　）到。

5. （　）八点到十点，我一直在做作业。

6. 下课以后，我打算（　）回宿舍，然后去图书馆。

7. 玛丽（　）和朋友一起喝咖啡呢。

8. 明天有风，听说风（　）大的。

以后　然后　差不多　常常　所以

1. 新的自行车有点儿贵，（　　）我要买旧的。
2. 这件衣服的质量和那件衣服的（　　）。
3. 我（　　）自己做晚饭。
4. 回学校（　　），我要去图书馆发E-mail。
5. 晚上，我先去看电影，（　　）去酒吧。

特别　一直　最近　忙　打算

1. （　　）刘老师要去美国。
2. 今天晚饭以后，我（　　）去酒吧喝啤酒。
3. 我们最近很（　　），没有时间玩儿。
4. 李军送的生日礼物比较（　　），是一条小狗。
5. 从八点到十点，大卫（　　）在做作业。

四　**用指定的词语改写句子**（Rewrite the sentences using the designated words and expressions given）

1. 明天是大卫的生日，你去吗？

　　_____（V不V）

2. 我们每天都有课。

　　_____（从……到）

3. 玛丽有自行车，大卫和中村也有自行车。

　　_____（每……都）

4. 中村的生日礼物比较特别。

　　_____（挺……的）

5. 我不喜欢红毛衣，我喜欢蓝毛衣。

　　_____（"的"字词组）

五　**用所给的词语完成句子**（Use the words and expressions provided to complete the sentences）

1. 北京的秋天_____。（最）
2. 昨天晚上八点，_____。（在……呢）
3. _____，常常下雨。（最近）
4. 这个酒吧的咖啡_____。（有点儿）

六　**用指定的词语完成对话**（Complete the dialogues by using the words provided）

1. A：最近的天气怎么样？

   B：挺好的，_____。（不A不B）

2. A：下课以后你去哪儿？

   B：_____。（先……然后……）

3. A：_____？（还是）

   B：我喝汽水。

4. A：_____？（一直）

   B：明天有听写，我在准备呢。

5. A：明天的天气不太好，有风，还有雨。

   B：_____。（那……）

七　**把下列句子改成疑问句**（Change the following sentences into questions）

1. 中村做的蛋糕挺不错的。

   _____

2. 我在准备生日礼物呢。

   _____

3. 北京的秋天不冷不热，是最好的季节。

   _____

4. 今天的作业有点儿多。

   _____

5. 明天是星期六，没有课。

   _____

6. 我去商店买花。

   _____

八　**完成段落并仿写**（Complete the paragraphs, then write sentences of your own in the same format）

　　明天是我朋友（　　）生日，我（　　）送她一件（　　）礼物。我下午（　　）商店（　　）毛衣，毛衣很多，质量（　　）不错，（　　）我不知道她喜欢（　　）颜色。

最后（zuìhòu）一个同学告诉（gàosu）我：（　　）个女孩子（　　）喜欢花。所以我打算（　　）她一（　　）花，她一定（yídìng）喜欢。

Additional Vocabulary

补充词语

1. 最后　　（名）　　zuìhòu　　　　finally
2. 告诉　　（动）　　gàosu　　　　 tell
3. 一定　　（动）　　yídìng　　　　 must

 九　汉字练习（Chinese character exercises）

模仿书写下列汉字（Write down the following words using the correct stroke sequence）

第十六课　周末 你干 什么?

Dì-shíliù　kè　　Zhōumò nǐ gàn shénme?

(在教室里)

大　卫：明天又是周末,太高兴了。

同　学：看起来,你很喜欢过周末。

大　卫：当然喜欢啦。周末可以好好
　　　　儿玩儿玩儿,你不喜欢吗?

同　学：我不喜欢。每个周末,我都觉
　　　　得没意思。

大　卫：你周末都干什么呢?

同　学：在宿舍里学习学习,洗洗衣服,看看电视,做做作业,睡睡
　　　　懒觉……

大　卫：你不和朋友一起出去玩儿吗?

同　学：有时候和朋友一起逛逛商店。你周末都干什么呢?

大　卫：我每个周末都有不同的安排。上个周末到朋友家包饺子,
　　　　上上个周末去迪厅跳舞……

同　学：这个周末你干什么?

大　卫：我去听音乐会。一起去,怎么样?

同　学：好啊,太好了。

Dàwèi：　Míngtiān yòu shì zhōumò, tài gāoxìng le.

Tóngxué：Kànqilai, nǐ hěn xǐhuan guò zhōumò.

Dàwèi：　Dāngrán xǐhuan la.　Zhōumò kěyǐ hǎohāor wánrwánr,　nǐ bù
　　　　　xǐhuan ma?

Tóngxué：Wǒ bù xǐhuan. Měi ge zhōumò, wǒ dōu juéde méiyìsi.

Dàwèi：　Nǐ zhōumò dōu gàn shénme ne?

Tóngxué：Zài sùshè li xuéxí xuéxí,　xǐxi yīfu,　kànkan diànshì,　zuòzuo
　　　　　zuòyè, shuìshui lǎnjiào...

Dàwèi：　Nǐ bù hé péngyou yìqǐ chūqu wánr ma?

Tóngxué：Yǒu shíhou hé péngyou yìqǐ guàngguang shāngdiàn.　Nǐ zhōumò dōu gàn shénme ne ?

Dàwèi： Wǒ měi ge zhōumò dōu yǒu bùtóng de ānpái. Shàng ge zhōumò dào péngyou jiā bāo jiǎozi, shàng shàng ge zhōumò qù dítīng tiào wǔ...

Tóngxué：Zhè ge zhōumò nǐ gàn shénme?

Dàwèi： Wǒ qù tīng yīnyuèhuì. Yìqǐ qù, zěnmeyàng?

Tóngxué：Hǎo a, tài hǎo le.

New Words and Expressions 生词语

1.	又	（副）	yòu	again
2.	看起来		kànqilai	it seems that
3.	过	（动）	guò	spend
4.	啦	（助）	la	*tone particle*
5.	可以	（助动）	kěyǐ	may
6.	好好儿	（副）	hǎohāor	to one's heart content; all out
7.	觉得	（动）	juéde	feel
8.	没意思	（形）	méiyìsi	uninteresting
9.	学习	（动）	xuéxí	study
10.	洗	（动）	xǐ	wash
11.	电视	（名）	diànshì	TV; television
12.	睡懒觉		shuì lǎnjiào	get up late; sleep in
13.	出去		chūqu	go out
14.	逛	（动）	guàng	go (shopping)
15.	不同		bùtóng	different
16.	安排	（名）	ānpái	arrangement
17.	上		shàng	last
18.	包	（动）	bāo	make; wrap up
19.	饺子	（名）	jiǎozi	dumpling
20.	迪厅	（名）	dítīng	discotheque
21.	跳舞		tiào wǔ	dance

22. 听　　　（动）　　tīng　　　listen
23. 音乐会　（名）　　yīnyuèhuì　concert

 语言点 Grammatical Key Points

一　动词重叠（Verbal reduplication）

动词重叠，表示轻松、随便的意味。（Verbal reduplication indicates an informal, casual tone of voice.）

例：1. 周末可以好好儿玩儿玩儿。

2. 她有时候和朋友一起逛逛商店。

3. 洗洗衣服，看看电视，买买东西，做做作业，睡睡懒觉，周末就这样过。

4. 跳跳舞，唱唱卡拉OK，逛逛商店，都很有意思。

二　地点状语（Location as adverbial modifier）

地点状语要放在动词谓语前，在+地方（location）+verb。（When the adverbial modifier is a location, it should be placed in front of the verbial predicate.）

例：1. 大卫在东方大学学习。

2. 他在图书馆看书。

3. 他们在购物中心买东西。

三　"太……了"

"太……了"表示程度很高，常用于感叹，有时有"过分"的意思。（"太……了" is often used to indicate that the specified adjective is to an excessive degree. It is often used for exclamatory remarks.）

例：1. 今天太冷了。

2. 这个房间太舒服了。

3. 这个星期太忙了。

4. 这件毛衣太红了，我不喜欢。

练习 Exercises

 一 语音练习（Pronunciation exercises）

（一）读音（Pronunciation）

	a	e	ai	ei	ao	ou	an	ang	en	eng	ong
zh	zha	zhe	zhai	zhei	zhao	zhou	zhan	zhang	zhen	zheng	zhong
ch	cha	che	chai		chao	chou	chan	chang	chen	cheng	chong
sh	sha	she	shai	shei	shao	shou	shan	shang	shen	sheng	
r		re			rao	rou	ran	rang	ren	reng	rong

（二）听读后选择（Select the word that you hear being read）

1. zhè—chē   2. zhǎo—shǎo   3. shēn—shēng

4. róng—réng   5. rǎn—ráo   6. shài—shéi

二 选词填空（Select the word that best fills in the blank）

　高兴　看起来　觉得　安排

1. 你今天（　　）很漂亮。

2. 你送我生日礼物，我很（　　）。

3. 我（　　）今天很凉快。

4. 这个周末你有什么（　　）?

　同屋　可以　没意思　不同

　　我的（　　）是日本人，她喜欢周末去中国朋友家玩儿。可是我和她（　　），我觉得去朋友家（　　），我喜欢坐公共汽车玩儿。我觉得在公共汽车上（　　）好好儿了解（liǎojiě）中国人。

三 填表格（Fill in the blank）

上上个月	上个月	这个月
		这个星期
		这个周一

四 替换练习（Substitution exercises）

我在 图书馆 看书 。
　　 购物中心 买衣服
　　 商店 买礼物
　　 书店 买词典
　　 宿舍 看电视
　　 教室 学习汉语

五 组词成句（Reorganize the groups of words to form sentences）

1. 我 喜欢 很 周末 过

　　_____

2. 有时候 和 一起 朋友 我 商店 逛

　　_____

3. 我 周末 个 有 都 不同 每 安排 的

　　_____

六 用指定的词语完成对话（Complete the dialogues by using the words and expressions provided）

1. A：那儿的东西怎么样？
　 B：_____。（太……了）

2. A：你喜欢那个人吗？
　 B：_____。（太……了）

3. A：刘老师的汉语书多不多？

B：_____。（太……了）

4. A：他在宿舍干什么呢？

　　B：_____。（在+地方+verb）

5. A：周末你干什么？

　　B：_____。（V+V）

 七　**根据课文完成段落**（Complete the paragraphs on the basis of the text in this lesson）

1. 大卫很（　　）过周末，因为周末他可以（　　）玩儿。大卫每个周末都有（　　）的安排。上个周末他到朋友家（　　）饺子，（　　）个周末他去学跳舞，这个周末他去听（　　）。

2. 大卫的（　　）不喜欢过周末。他每个周末的安排都一样：（　　）衣服，（　　）电视，（　　）东西，（　　）作业，有时候去（　　）商店。所以他觉得周末（　　）。

Additional Vocabulary　**补充词语**

　1. 了解　　（动）　　liǎojiě　　　　　　know; understand

八 汉字练习（Chinese character exercises）

模仿书写下列汉字（Write down the following words using the correct stroke sequence）

第十七课 做客(一)

Dì-shíqī kè Zuò kè (yī)

（在刘老师家）

刘老师：请进, 请进！

大　卫：老师, 您的家真干净啊！

刘老师：是吗？ 来, 坐这儿吧。

大　卫：这是给您的礼物。

刘老师：哎呀！ 你们太客气了。

大　卫：这是我们的一点儿心意, 请
　　　　收下。

刘老师：谢谢你们。 你们喝什么？ 茶还是果汁儿？

大　卫：随便, 什么都行。

玛　丽：我喝茶。

刘老师：路上顺利吗？

玛　丽：不太顺利, 车上有点儿挤。

刘老师：你们一般坐公共汽车还是打车？

大　卫：我喜欢坐公共汽车, 空调大巴很舒服。

玛　丽：我喜欢坐地铁。

…………

刘老师：你们饿不饿？ 中午在我家吃饺子, 怎么样？

大　卫：太好了, 我最喜欢吃的就是饺子。

刘老师：你们会包吗？

玛　丽：不太会, 我们试试吧。

Liú lǎoshī：Qǐng jìn, qǐng jìn!

Dàwèi：　Lǎoshī, nín de jiā zhēn gānjìng a!

Liú lǎoshī：Shì ma? Lái, zuò zhèr ba.

Dàwèi：　Zhè shì gěi nín de lǐwù.

Liú lǎoshī：Āiyā! Nǐmen tài kèqi le.

Dàwèi：　Zhè shì wǒmen de yìdiǎnr xīnyì, qǐng shōuxià.

Liú lǎoshī：Xièxie nǐmen. Nǐmen hē shénme? Chá háishi guǒzhīr?

Dàwèi： Suíbiàn, shénme dōu xíng.

Mǎlì： Wǒ hē chá.

Liú lǎoshī：Lùshang shùnlì ma?

Mǎlì： Bú tài shùnlì, chēshang yǒudiǎnr jǐ.

Liú lǎoshī：Nǐmen yìbān zuò gōnggòng qìchē háishi dǎ chē?

Dàwèi： Wǒ xǐhuan zuò gōngòng qìchē, kōngtiáo dàbā hěn shūfu.

Mǎlì： Wǒ xǐhuan zuò dìtiě.

．．．．．．．．．．

Liú lǎoshī：Nǐmen è bú è? Zhōngwǔ zài wǒ jiā chī jiǎozi, zěnmeyàng?

Dàwèi： Tài hǎo le, wǒ zuì xǐhuan chī de jiù shì jiǎozi.

Liú lǎoshī：Nǐmen huì bāo ma?

Mǎlì： Bú tài huì, wǒmen shìshi ba.

New Words and Expressions 生词语

1.	做客		zuò kè	be a guest
2.	请进		qǐng jìn	Come in, please.
3.	真	（副）	zhēn	really
4.	干净	（形）	gānjìng	clean
5.	坐	（动）	zuò	sit
6.	哎呀	（叹）	āiyā	*interjection*
7.	客气	（形）	kèqi	courteous
8.	一点儿	（数量）	yìdiǎnr	a little
9.	心意	（名）	xīnyì	regard; kindly feelings
10.	收下		shōuxià	accept
11.	茶	（名）	chá	tea
12.	果汁儿	（名）	guǒzhīr	juice
13.	随便	（形）	suíbiàn	Anything is OK.
14.	行	（动）	xíng	OK.
15.	路上		lùshang	on the way
16.	顺利	（形）	shùnlì	smoothly
17.	上	（名）	shàng	on
18.	挤	（形）	jǐ	crowded
19.	打车		dǎ chē	hailing a cab

20.	空调大巴		kōngtiáo dàbā	air-conditioned bus
21.	地铁	（名）	dìtiě	subway
22.	饿	（形）	è	hungry
23.	吃	（动）	chī	eat
24.	会	（助动）	huì	can
25.	试	（动）	shì	try

注释
Note

① 请收下：Please accept it/this.

② 什么都行（Anything is OK by me）：当主人问客人想吃或喝什么时，客人比较客气的回答。（You can use this expression to show your politeness when your host asks you what you want to drink or eat.）

语言点 Grammatical Key Points

一 "是 X 还是 Y"

用于问句，表示选择。(The phrase "是X还是Y" is used to elicit the possible alternatives in sentences with selective options present.)

例：1. 你是美国人还是英国人？

2. 你（是）喝茶还是喝咖啡？

3. （是）你去还是我去？

二 "会"(1)(Know how to/ Can/ Be able to)

用在动词前，表示能力。(Placed in front of verbs, it indicates capability.)

例：1. 我会包饺子。

2. 我会说英语，他不会说英语。

3. 你会骑自行车吗？

三 "就是"

可以用来表示强调。("就是" is used for emphasis.)

例：1. 我最喜欢吃的就是饺子。

2. 他就是张老师。

3. 这儿就是图书馆。

练习 Exercises

一 语音练习（Pronunciation exercises）

（一）读音（Pronunciation）

	i	u	ua	uo	uai	ui	uan	un	uang
zh	zhi	zhu	zhua	zhuo	zhuai	zhui	zhuan	zhun	zhuang
ch	chi	chu		chuo	chuai	chui	chuan	chun	chuang
sh	shi	shu	shua	shuo	shuai	shui	shuan	shun	shuang
r	ri	ru	rua	ruo		rui	ruan	run	

（二）听读后选择 (Select the word that you hear being read)

1. zhī—chī   2. zhuā—shuā   3. zhuài—zhuì

4. chǔn—chuí   5. zhuāng—shuàn

二 选词填空（Select the word that best fills in the blank）

干净 顺利 挤 心意

1. 他来北京的路上很（   ）。

2. 早上上班的时候，公共汽车常常很（   ）。

3. 这是我们的（   ），请收下。

4. 他们的教室很（   ）。

做客 礼物 随便

去中国人家里（   ），一般要带一点儿（   ），主人（zhǔrén）问喝什么的时候，客人（kèrén）常常说"（   ）"，意思（yìsi）是喝什么都行。

三　**替换练习**（Substitution exercises）

1. 你是　<u>　喝茶　</u>　还是　<u>喝咖啡</u>　?

吃饺子	吃面包
看电影	看电视
学汉语	学英语
去图书馆	去教室
打车	坐公共汽车

2. <u>我最喜欢吃的</u>　就是<u>　饺子　</u>。

我最喜欢喝的	咖啡
我最喜欢学的	汉语
他	最好的学生
张老师	我们班的老师
那座楼	我们的宿舍楼

四　**用指定的词语完成对话**（Complete the dialogues by using the words and expressions provided）

1. A：你喜欢的颜色_____？（是……还是……）

   B：我喜欢红色的。

2. A：购物中心的东西贵不贵？

   B：_____。（有点儿）

3. A：张红会说英语吗？

   B：_____。（会）

4. A：谁是刘老师？

   B：_____。（就是）

五　**用适当的词语填空**（Select the word that best fills in the blank）

有点儿　不太　最　太　真

1. 今天天气（　　）热，二十二度。

2. 今天天气（　　）热，所以我喝很多水。

3. 北京的夏天是六月、七月和八月，七月（　　）热。

4. 今天（　　）热了！

5. 今天（　　）热啊！

六　根据课文完成段落 （Complete the paragraph on the basis of the text in this lesson）

　　大卫和玛丽（　　）公共汽车去老师家里玩儿，路上有点儿（　　），不太（　　）。老师的家很（　　），他们喝茶和果汁儿，中午一起（　　）饺子吃。

Additional Vocabulary　补充词语

1. 主人　（名）　zhǔrén　　host
2. 客人　（名）　kèrén　　guest
3. 意思　（名）　yìsi　　meaning

七　汉字练习 （Chinese character cxercises）

模仿书写下列汉字 （**Write down the following words using the correct stroke sequence**）

（在刘老师家）

大　卫：老师，今天的饺子真好吃。

玛　丽：是啊，味道很好。中国人都喜欢吃饺子吗？

刘老师：大部分北方人都喜欢吃饺子。过生日啦，过节啦，来客人啦，一般都包饺子吃。

大　卫：南方人不吃饺子吗？

刘老师：不常吃。南方人喜欢吃米饭，不太喜欢吃面食。

玛　丽：是这样啊！对北方人来说，饺子是一种很重要的食品吧？

刘老师：是啊。不过，包饺子比较麻烦，特别是人少的时候。

玛　丽：对，做馅儿就得花很多时间呢。

大　卫：超市不是有速冻饺子吗？想吃的话，就去买一袋。

刘老师：你真会偷懒。不过，大家一起包饺子，热闹，也挺有意思的。

玛　丽：速冻饺子的味道怎么样？好吃吗？

刘老师：也很好吃。

Dàwèi:　　Lǎoshī, jīntiān de jiǎozi zhēn hǎochī.

Mǎlì:　　Shì a, wèidào hěn hǎo. Zhōngguó rén dōu xǐhuan chī jiǎozi ma?

Liú lǎoshī: Dà bùfen běifāng rén dōu xǐhuan chī jiǎozi. Guò shēngrì la, guò jié la, lái kèrén la, yìbān dōu bāo jiǎozi chī.

Dàwèi:　　Nánfāng rén bù chī jiǎozi ma?

Liú lǎoshī: Bù cháng chī. Nánfāng rén xǐhuan chī mǐfàn, bú tài xǐhuan chī miànshí.

Mǎlì:　　Shì zhèyàng a! Duì běifāng rén lái shuō, jiǎozi shì yì zhǒng hěn zhòngyào de shípǐn ba?

Liú lǎoshī: Shì a. Búguò, bāo jiǎozi bǐjiào máfan, tèbié shì rén shǎo de shíhou.

Mǎlì: Duì, zuò xiànr jiù děi huā hěn duō shíjiān ne.

Dàwèi: Chāoshì bú shì yǒu sùdòng jiǎozi ma? Xiǎng chī dehuà, jiù qù mǎi yí dài.

Liú lǎoshī: Nǐ zhēn huì tōu lǎn. Búguò, dàjiā yìqǐ bāo jiǎozi, rè'nao, yě tǐng yǒuyìsi de.

Dàwèi: Sùdòng jiǎozi de wèidào zěnmeyàng? Hǎochī ma?

Liú lǎoshī: Yě hěn hǎochī.

New Words and Expressions 生词语

1.	好吃	(形)	hǎochī	delicious
2.	味道	(名)	wèidào	taste
3.	北方	(名)	běifāng	northern part of the China
4.	节	(名)	jié	festival
5.	客人	(名)	kèrén	guest
6.	南方	(名)	nánfāng	southern part of the China
7.	米饭	(名)	mǐfàn	cooked rice
8.	面食	(名)	miànshí	pasta; wheaten food
9.	对…来说		duì...lái shuō	for (sb.)
10.	种	(量)	zhǒng	kind, *a measure word*
11.	重要	(形)	zhòngyào	important
12.	食品	(名)	shípǐn	food
13.	麻烦	(形)	máfan	troublesome
14.	少	(形)	shǎo	few; less
15.	馅儿	(名)	xiànr	stuffing
16.	花	(动)	huā	spend; cost
17.	超市	(名)	chāoshì	supermarket
18.	速冻		sùdòng	quick-frozen

19.	想	（动）	xiǎng	want to
20.	…的话		…dehuà	…if…then
21.	袋	（量）	dài	pack;bag, *a measure word*
22.	偷懒		tōu lǎn	be lazy; loaf on the job
23.	大家	（代）	dàjiā	all; everyboby
24.	热闹	（形）	rè'nao	buzzing
25.	有意思	（形）	yǒuyìsi	interesting

语言点 Grammatical Key Points

一 列举（**Enumeration**）

常用格式是" a 啦,b 啦,c 啦……"。(The usual pattern is: a 啦, b 啦, c 啦.)

例： 1. 我们大学有很多国家的留学生，美国啦，日本啦，英国啦……留学生很多。

2. 杰米每次到超市都买很多东西，蔬菜啦，水果啦，日用品啦……他都要买。

二 反问句(1)（**Rhetorical questions**）

不是……吗？(Isn't/Aren't … ?)

例： 1. A：我不会说英语。

B：你不是美国人吗？

2. A：我不认识他。

B：你们不是同屋吗？

三 "……的话,就……"（**If … , then …** ）

例： 1. A：我们周末去颐和园，你去吗？

B：没别的安排的话，我就去。

2. 下午没课的话，我们就去逛商店。

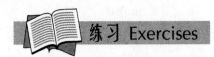

练习 Exercises

一　语音练习（Pronunciation exercises）

（一）读音（Pronunciation）

	a	e	ai	ei	ao	ou	an	en	ang	eng	ong
z	za	ze	zai	zei	zao	zou	zan	zen	zang	zeng	zong
c	ca	ce	cai		cao	cou	can	cen	cang	ceng	cong
s	sa	se	sai		sao	sou	san	sen	sang	seng	song

（二）听读后选择（Select the word that you hear being read）

1. zá—cā　　　　2. còu—cóng　　　3. sēn—sēng
4. sòng—zǒng　　5. zào—cāo

二　选词填空（Select the word that best fills in the blank）

大部分　重要　偷懒　有意思　大家

1. （　　）中国人都喜欢喝茶。
2. 你不要（　　），好好儿学习，做作业。
3. 这个电影很（　　），我喜欢。
4. 学汉语最（　　）的是多说多练。
5. 我们（　　）都不喜欢逛商店。

面食　米饭　饺子　食品

　　在中国,北方人和南方人的习惯(xíguàn)不一样。北方人喜欢吃(　　),(　　)就是面食的一种。南方人喜欢吃(　　),有很多用(yòng)米做的(　　)。

三　替换练习（Substitution exercises）

　　想 吃 的话，就 去买一袋 。

去	和我们一起去
看	借一本
听	买一盒磁带
喝	买一瓶

四 组词成句（Reorganize the groups of words to form sentences）

1. 大部分　都　北方人　吃　饺子　喜欢

_____

2. 超市　有　速冻饺子　不是　吗

_____

3. 麻烦　包饺子　比较　特别是　时候　人　少　的

_____

五 看图说话（Look at the drawings and make sentences with "a 啦, b 啦, c 啦……"）

六 用指定的词语完成对话（Complete the dialogues by using the words and expressions provided）

1. A：对不起，我不会说英语。

B：_____？（不是……吗）

2. A：我不喜欢吃饺子。

B：_____？（不是……吗）

3. A：你今天晚上去看电影吗？

B：_____。（……的话，就……）

4. A：你喝酒吗？

B：_____。（……的话，就……）

5. A：你周末干什么？

B：_____。（……的话，就……）

七 根据课文完成段落（Complete the paragraph on the basis of the text in this lesson）

大卫和玛丽去老师家（　　），他们一起（　　）饺子吃，他们包的饺子味道很（　　）。老师告诉他们，如果没有时间包饺子的话，可以去（　　）买速冻饺子，速冻饺子的味道也（　　）。对北方人来说，饺子是一种（　　）的食品，可是南方人一般不吃面食，他们喜欢吃（　　）。

Additional Vocabulary 补充词语

如果　　　　　　　　rúguǒ　　　　　　　　if

 八 汉字练习（Chinese character exercises）

模仿书写下列汉字（Write down the following words using the correct stroke sequence）

第十九课　现在习惯了

Dì-shíjiǔ　kè　Xiànzài Xíguàn le

（在教室）

刘老师：大卫，你来北京多长时间了？

大　卫：已经差不多半年了。

刘老师：习惯北京的生活了吧？

大　卫：刚来的时候不习惯，现在已经习惯了。

刘老师：早上八点上课也习惯了吗？

大　卫：不好意思，还没习惯这么早上课。在美国，我一般早上八点才起床。

刘老师：是吗？现在晚上几点睡？

大　卫：不一定，一般十二点睡，有时候夜里两点钟才睡。不过，早上八点有课的话，就早一点儿睡。

刘老师：早睡早起比较好啊。我是学生的时候，也喜欢睡懒觉。工作以后，这个毛病就改了。

大　卫：是吗？那时候您多大？

刘老师：大概二十三岁吧。

Liú lǎoshī：Dàwèi, nǐ lái Běijīng duō cháng shíjiān le?

Dàwèi：　Yǐjing chàbuduō bàn nián le.

Liú lǎoshī：Xíguàn Běijīng de shēnghuó le ba?

Dàwèi：　Gāng lái de shíhou bù xíguàn, xiànzài yǐjing xíguàn le.

Liú lǎoshī：Zǎoshang bā diǎn shàng kè yě xíguàn le ma?

Dàwèi：　Bù hǎoyìsi, hái méi xíguàn zhème zǎo shàng kè. Zài Měiguó, wǒ yìbān zǎoshang bā diǎn cái qǐ chuáng.

Liú lǎoshī：Shì ma? Xiànzài wǎnshang jǐ diǎn shuì?

Dàwèi: Bùyídìng, yìbān shí'èr diǎn shuì, yǒu shíhou yèli liǎng diǎnzhōng cái shuì. Búguò, zǎoshang bā diǎn yǒu kè dehuà, jiù zǎo yìdiǎnr shuì.

Liú lǎoshī: Zǎo shuì zǎo qǐ bǐjiào hǎo a. Wǒ shì xuésheng de shíhou, yě xǐhuan shuì lǎnjiào. Gōngzuò yǐhòu, zhè ge máobìng jiù gǎi le.

Dàwèi: Shì ma? Nà shíhou nín duō dà?

Liú lǎoshī: Dàgài èrshísān suì ba.

New Words and Expressions

生词语

1.	习惯	（动）	xíguàn	be accustomed to
2.	了	（助）	le	*tone particle*
3.	多	（副）	duō	how
4.	长	（形）	cháng	long
5.	已经	（副）	yǐjing	already
6.	年	（名）	nián	year
7.	生活	（名）	shēnghuó	life
8.	刚	（副）	gāng	just
9.	不好意思		bù hǎoyìsi	a bit ashamed of
10.	这么	（代）	zhème	so
11.	才	（副）	cái	not until (*used to indicate that something happens later than is expected*)
12.	起床		qǐ chuáng	get up
13.	睡	（动）	shuì	go to sleep
14.	夜	（名）	yè	night
15.	点钟	（名）	diǎnzhōng	o'clock
16.	早睡早起		zǎo shuì zǎo qǐ	early to bed and early to rise
17.	工作	（动）	gōngzuò	work

18. 毛病	（名）	máobìng	bad habit
19. 改	（动）	gǎi	change
20. 大	（形）	dà	old
21. 大概	（副）	dàgài	about
22. 岁	（名）	suì	years old

语言点 Grammatical Key Points

一 "了"(1)

"了"用在句子末尾，表示确定的语气。（"了" is used at the end of a sentence, indicating a definite tone.）

否定式（Negative form）： subject+没+verb+ object

例：1. 我买啤酒了。→我没买啤酒。

2. 昨天下雪了。→昨天没下雪。

3. 刚来北京的时候,我不习惯北京的天气,现在习惯了。→我还没习惯北京的天气。

二 "还" (Still)

表示状态没有改变。（Indicates that a situation has not changed.）

例：1. 来北京已经一年了,他还没习惯早上八点上课。

2. 已经十二点了,他还在学习。

三 年龄的表达 (Age expressions)

1. 问十岁以下的孩子的年龄时，用"几"。(You should use "几" to ask for the child's age who is younger than 10.)

例：A：你几岁了？

B：我今年八岁。

2. 问一般人时，用"多大"。("多大" can be used to ask for the age of everyone.)

例：A：你多大(年纪,niánjì)？

B：我（今年）二十二岁。

　3. 问长辈时，要用"您"和"多大年纪"。（Use "您" and "多大年纪" for a senior.）

　　　例：A：您多大年纪？

　　　　　B：六十八了。

四 "就"(1) (As early as/ Already/ Right after ...)

强调动作行为发生得早或快。（Emphasizes that an action happens either very early or very fast.）

　　　例：1. 他上个星期就回国了。

　　　　　2. 他早上六点就起床了。

　　　　　3. 工作以后，这个习惯就改了。

五 "才"(1) (Not until)

强调动作行为发生得晚或慢。（Emphasizes that an action happens late.）

　　　例：1. 他早上六点就起床了，我九点才起床。

　　　　　2. 他七点半就去教室了，我八点二十才去。

　　　　　3. 工作十年以后，这个习惯才改了。

 练习 Exercises

 一 语音练习（Pronunciation exercises）

（一）读音（Pronunciation）

	i	u	uo	ui	uan	un
z	zi	zu	zuo	zui	zuan	zun
c	ci	cu	cuo	cui	cuan	cun
s	si	su	suo	sui	suan	sun

（二）听读后选择 （Select the word that you hear being read）

1. zuān—cuān   2. cuàn—suàn

3. zuǒ—suǒ   4. cún—cóng

二 选词填空 （Select the word that best fills in the blank）

已经　那时候　时候　以后　刚

1. 我1998年来北京，（　　）我在北京没有朋友。

2. 我1998年来北京的（　　），不会说汉语。

3. 我来北京（　　），开始学习汉语。

4. 我1998年来北京，现在（　　）六年了。

5. 她（　　）来北京的时候，不习惯听汉语。

大概　不好意思　这么　起床　工作

今天早上我（　　）七点才（　　），起床以后就去学校。去（　　）的人很多，所以路上有点儿不太顺利，我迟到（chídào）了。真（　　），以后我不能（　　）晚起床了。

三 替换练习 （Substitution exercises）

例：我吃饭。   → 我吃饭了。   → 我已经吃饭了。

                   → 我还没吃饭。

1. 我们喝啤酒。 →

               →

2. 他们包饺子。 →

               →

3. 大卫做作业。 →

               →

4. 张红看电影。 →

               →

5. 我们去买礼物。 →

               →

四 把词语放在句中合适的位置（Place the given word in its appropriate place within the sentence）

1. A 有时间的话，B 我 C 去看电影 D。 （就）
2. A 晚上八点 B 他 C 吃饭 D。 （才）
3. A 已经 B 十二点了，C 他 D 没睡觉。 （还）
4. 我 A 是 B 学生的时候，C 喜欢 D 睡懒觉。（也）

五 用指定的词语完成对话（Complete the dialogues by using the words and expressions provided）

1. A：你一般什么时候睡觉？
   B：＿＿＿＿＿＿＿＿＿＿＿＿＿＿＿＿＿。 （才）
   A：玛丽呢？
   B：＿＿＿＿＿＿＿＿＿＿＿＿＿＿＿＿＿。 （就）

2. A：你今天上午干什么了？
   B：＿＿＿＿＿＿＿＿＿＿＿＿＿＿＿＿＿。 （句子+了）

3. A：你去老师家了吗？
   B：＿＿＿＿＿＿＿＿＿＿＿＿＿＿＿＿＿。 （了）
   A：玛丽呢？
   B：＿＿＿＿＿＿＿＿＿＿＿＿＿＿＿＿＿。 （还没）

4. A：＿＿＿＿＿＿＿＿＿＿＿＿＿＿＿？ （多+……）
   B：我五岁。

5. A：＿＿＿＿＿＿＿＿＿＿＿＿＿＿＿＿＿。 （多+……）
   B：六十八啦。

六 根据课文完成段落（Complete the paragraph on the basis of the text in this lesson）

大卫来北京（　　）半年了，他已经（　　）北京的生活了，可是还不习惯早上八点上课。他有点儿（　　）。他晚上一般十二点睡觉，不过早上八点有课的话，他（　　）早一点睡。刘老师是学生的时候，也喜欢睡（　　）。不过工作以后，这个毛病已经（　　）了，现在他喜欢（　　）。

Additional Vocabulary　补充词语

1. 迟到　　（动）　　chídào　　　be late for
2. 年纪　　（名）　　niánjì　　　age

七　汉字练习（Chinese character exercises）

模仿书写下列汉字（Write down the following words using the correct stroke sequence）

第二十课　看病人

Dì-èrshí kè　Kàn bìngrén

（在医院）

大　卫：玛丽，怎么样？现在好一点儿了吗？

玛　丽：好一点儿了。谢谢你来看我。

大　卫：别客气！不上课也没有作业，挺舒服的吧？

玛　丽：不舒服！一个人吃，一个人睡，一个人玩儿，挺无聊的。

大　卫：你每天都干什么呢？

玛　丽：看看书，听听音乐，睡睡觉，做做梦……

大　卫：真幸福啊。我每天背生词，做作业，听写，考试……累死了。

玛　丽：那咱们换换怎么样？你来医院住，我去上课。

大　卫：好啊，不过你得问问医生行不行。对了，你今天中午想吃什么？米饭炒菜、面条，还是饺子？

玛　丽：麦当劳！今天中午我想吃麦当劳。

大　卫：你现在身体不好，还是吃饺子吧。

Dàwèi: Mǎlì, zěnmeyàng? Xiànzài hǎo yìdiǎnr le ma?

Mǎlì: Hǎo yìdiǎnr le. Xièxie nǐ lái kàn wǒ.

Dàwèi: Bié kèqi! Bú shàng kè yě méiyǒu zuòyè, tǐng shūfu de ba?

Mǎlì: Bù shūfu! Yí ge rén chī, yí ge rén shuì, yí ge rén wánr, tǐng wúliáo de.

Dàwèi: Nǐ měi tiān dōu gàn shénme ne?

Mǎlì: Kànkan shū, tīngting yīnyuè, shuìshui jiào, zuòzuo mèng...

Dàwèi: Zhēn xìngfú a. Wǒ měi tiān bèi shēngcí, zuò zuòyè, tīngxiě, kǎoshì...lèi sǐ le.

Mǎlì: Nà zánmen huànhuan zěnmeyàng? Nǐ lái yīyuàn zhù, wǒ qù shàng kè.

Dàwèi： Hǎo a, búguò nǐ děi wènwen yīshēng xíng bù xíng. Duì le,
nǐ jīntiān zhōngwǔ xiǎng chī shénme? Mǐfàn chǎocài,
miàntiáo, háishi jiǎozi?

Mǎlì： Màidāngláo! Jīntiān zhōngwǔ wǒ xiǎng chī Màidāngláo.

Dàwèi： Nǐ xiànzài shēntǐ bù hǎo, háishi chī jiǎozi ba.

New Words and Expressions

生词语

1.	看	（动）	kàn	visit
2.	病人	（名）	bìngrén	patient
3.	别	（副）	bié	do not
	别客气		bié kèqi	It is OK.
4.	无聊	（形）	wúliáo	uninteresting; boring
5.	睡觉		shuì jiào	sleep
6.	做梦		zuò mèng	have a dream
7.	幸福	（形）	xìngfú	happy
8.	背	（动）	bèi	recite; memorize
9.	生词	（名）	shēngcí	new words
10.	考试	（动）	kǎoshì	exam; test
11.	累	（形）	lèi	tired
12.	死	（动）	sǐ	dead; die
13.	换	（动）	huàn	exchange
14.	医院	（名）	yīyuàn	hospital
15.	住	（动）	zhù	live
16.	得	（助动）	děi	have to
17.	问	（动）	wèn	ask
18.	医生	（名）	yīshēng	doctor
19.	对了		duì le	by the way
20.	炒	（动）	chǎo	stir-fry
21.	菜	（名）	cài	vegetable; dish
22.	面条	（名）	miàntiáo	noodle
23.	身体	（名）	shēntǐ	body

Proper Nouns

专有名词

麦当劳	Màidāngláo	McDonald's

注释 Note

累死了(Tired to death)："adj+死了"，表示程度很高。("adj+死了" indicates a high degree.)
例：挤死了。/热死了。/冷死了。

语言点 Grammatical Key Points

"得"(Must/ Have to)

用在动词前，表示不得已。(Used in front of verbs, it indicates that there is no other alternative (act against one's will, be forced to) .)

例：明天早上八点有课，我得七点起床。

单元小结（四）

语言点	课文序号	例句
1. 动词重叠	16	看看书,休息休息。
2. 地点状语	16	我在图书馆看书。
3. "太……了"	16	太贵了!
4. 选择问句"是……还是"	17	你(是)喝茶还是喝咖啡?
5. "会"(1)	17	我会包饺子。
6. "就是"	17	我最喜欢的就是饺子。
7. 列举:"a啦,b啦,c啦……"	18	饺子啦、面条啦、包子啦,我都喜欢。
8. 反问句(1):"不是……吗"	18	你不是喜欢看电影吗?
9. "……的话,就……"	18	有时间的话,我就去商店。
10. "了"(1)	19	我习惯了。/昨天下雨了。
11. "还"(2):状态没有改变	19	十二点了,她还没睡觉。
12. 年龄的表达	19	他几岁? /你多大年纪?
13. "就"(1)	19	她今天六点就起床了。
14. "才"(1)	19	他昨天九点才起床。

练习 Exercises

一 语音练习（Pronunciation exercises）

（一）读音（Pronunciation）

Sì shì sì, shí shì shí,	四是四，十是十，
Shísì shì shísì, sìshí shì sìshí.	十四是十四，四十是四十。
Shuí shuō sìshí shì shísì,	谁说四十是十四，
Jiù fá shuí sìshí.	就罚谁四十。
Shuí shuō shísì shì sìshí,	谁说十四是四十，
Jiù fá shuí shísì.	就罚谁十四。

（二）听读后选择（Select the word that you hear being read）

1. chū—shū   2. cū—sú   3. zū—zhú
4. sì—shí   5. shì—sì

二 用适当的词语填空（Fill in the blanks with suitable words to complete the phrases）

1. 看（　　）   2. 听（　　）   3. 背（　　）
4. 换（　　）   5. 炒（　　）

三 选词填空（Select the word that best fills in the blank）

　幸福　听写　换　问

1. 有问题的话，请（　　）老师。
2. 这个电视不好的话，我给你（　　）一个吧。
3. 今天没有作业，也没有听写，真（　　）。
4. （　　）生词是一种学习汉语的好方法（fāngfǎ）吗？

　医院　医生　舒服　不好意思

　　我昨天晚上没睡觉，今天不（　　），我去了（　　）。

（　　）说没问题，睡一觉就好了，我很（　　）。

四 **替换练习**（Substitution exercises）

<u>医生在那儿</u>，你得 <u>问问医生</u>。

你不舒服	去医院
明天有考试	复习 (fùxí)
要买书	去书店
明天八点有课	早点儿睡
作业很多	做作业
路上堵车(dǔ chē)	早点儿起床

 五 **看图说话**（Look at the drawings and make sentences with locational phrases "在+place"）

 六 用 **"是……还是……"** 问答（Make questions with the given words using "是……还是……"）

1. 喜欢　　　夏天　　　冬天

　　_____

2. 喜欢　　　游泳　　　看电影

　　_____

3. 去商店　　超市

　　_____

4. 去跳舞　　看书

　　_____

5. 吃面条　　米饭

　　_____

 七 **用指定的词语完成对话**（Complete the dialogues by using the words and expressions provided）

1. A：你家乡 (jiāxiāng) 的夏天怎么样？

B：＿＿＿＿＿＿＿＿＿＿＿＿＿＿。（太……了/比较/不太）

2. A：你们的宿舍楼在哪儿？

  B：＿＿＿＿＿＿＿＿＿＿＿＿＿＿。（就是）

3. A：你上个星期去东方大学了吗？

  B：＿＿＿＿＿＿＿＿＿＿＿＿＿＿。（没）

4. A：你们学校早上几点上课？

  B：八点。

  A：＿＿＿＿＿＿＿＿＿＿＿＿＿吗？（就）

  B：是啊。你也觉得太早了吗？

  A：是的。我们学校＿＿＿＿＿＿＿＿＿。（才）

5. A：你周末一般干什么？

  B：＿＿＿＿＿＿＿＿＿＿。（VV啦，VV啦，……）

八　阅读（Reading）

  我来北京一个月了，现在已经习惯了北京的生活，我也很喜欢上汉语课。可是，我觉得生活不太有意思。下课以后，我听听音乐、洗洗衣服、逛逛商店、做做作业……一个人玩儿，一个人学习。我的同屋喜欢睡懒觉，我喜欢早睡早起，所以我们不能一起玩儿。上个星期，我去老师家了，我们一起包饺子，饺子味道很好，我很高兴。和中国人在一起，也是学习汉语的一种重要方法。如果我能认识很多中国朋友的话，那多好啊！

判断正误（**True or false**）

1. 我现在还不习惯北京的生活。   （ ）
2. 我觉得在北京生活很有意思。   （ ）
3. 我喜欢一个人玩儿。   （ ）
4. 我的同屋不喜欢早睡早起。   （ ）
5. 我这个星期要去老师家。   （ ）
6. 我认识很多中国朋友。   （ ）
7. 和同屋一起玩儿是学习汉语的好方法。 （ ）

Additional Vocabulary　补充词语

1. 方法　　（名）　　fāngfǎ　　　　　　method

2. 复习	(动)	fùxí	go over; review
3. 堵车		dǔ chē	traffic jam
4. 家乡	(名)	jiāxiāng	hometown

九 汉字练习（Chinese character exercises）

（一）模仿书写下列汉字（Write down the following words using the correct stroke sequence）

（二）找出下面各字的偏旁（Locate the radicals of the following characters）

谁____ 邮____ 知____ 音____ 留____

些____ 时____ 般____ 季____ 蛋____

第二十一课 他感冒了

Dì-èrshíyī kè Tǎ gǎnmào le

（在教室）

玛　丽：老师，大卫今天不能来上课了。

刘老师：他怎么了？病了吗？

玛　丽：对，他感冒了，发烧、咳嗽。

刘老师：怎么感冒了？

玛　丽：前天他去看足球比赛，回来的时候下雨了，他没带伞，所以感冒了。

刘老师：去医院看病了吗？

玛　丽：去了。医生给他开了药，还说最好休息一天。这是他的请假条。

刘老师：好的，我知道了。谢谢。

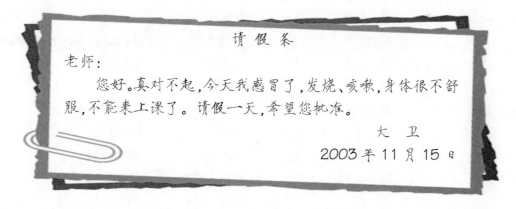

请 假 条

老师：

　　您好。真对不起，今天我感冒了，发烧、咳嗽，身体很不舒服，不能来上课了。请假一天，希望您批准。

大 卫

2003 年 11 月 15 日

Mǎlì: Lǎoshī, Dàwèi jīntiān bù néng lái shàng kè le.

Liú lǎoshī: Tā zěnme le? Bìng le ma?

Mǎlì: Duì, tā gǎnmào le, fāshāo, késou.

Liú lǎoshī: Zěnme gǎnmào le?

Mǎlì: Qiántiān tā qù kàn zúqiú bǐsài, huílai de shíhou xià yǔ le, tā méi dài sǎn, suǒyǐ gǎnmào le.

Liú lǎoshī：Qù yīyuàn kàn bìng le ma?

Mǎlì：　Qù le.　Yīshēng gěi tā kāi le yào,　hái shuō zuìhǎo xiūxi yì tiān.
　　　　Zhè shì tā de qǐngjiàtiáo.

Liú lǎoshī：Hǎo de, wǒ zhīdào le. Xièxie.

Qǐngjiàtiáo

Lǎoshī：

　Nín hǎo. Zhēn duìbuqǐ, jīntiān wǒ gǎnmào le, fāshāo,
késou,　shēntǐ hěn bù shūfu,　bù néng lái shàng kè le.
Qǐng jià yì tiān, xīwàng nín pīzhǔn.

Dàwèi

Èr-líng-líng-sān nián shíyī yuè shíwǔ rì

New Words and Expressions　生词语

1.	感冒	(动)	gǎnmào	catch a cold
2.	能	(助动)	néng	can; be able to
3.	病	(动)	bìng	become sick
4.	发烧	(动)	fā shāo	have a fever
5.	咳嗽	(动)	késou	cough
6.	前天	(名)	qiántiān	the day before yesterday
7.	足球	(名)	zúqiú	football
8.	比赛	(名)	bǐsài	match
9.	回来		huílai	come back
10.	带	(动)	dài	bring
11.	伞	(名)	sǎn	umbrella
12.	看病		kàn bìng	see a doctor
13.	开	(动)	kāi	write out
14.	药	(名)	yào	medicine; drug
15.	最好	(副)	zuìhǎo	had better
16.	休息	(动)	xiūxi	have a rest
17.	请假条		qǐngjiàtiáo	written request for leave
18.	请假		qǐng jià	ask for a leave
19.	希望	(动)	xīwàng	hope; wish

20. 批准	（动）	pīzhǔn	ratify; approve
21. 月	（名）	yuè	month
22. 日	（名）	rì	date

语言点 Grammatical Key Points

一 "能"（Can/ Be able to）

有能力或可能做某事。(Capable of doing, or has the possibility to do something.)

例：1. 我能说汉语。

2. 我学汉语了, 所以我能唱中文歌。

3. 你能和我一起去吗?

4. 大卫今天不能来上课了。

二 "最好"（Had better/ Had best）

用在动词前, 可用来表示建议。(Used in front of verbs, it implies suggestion.)

例：1. 你感冒了, 最好休息三天。

2. 明天有考试, 你最好复习复习。

3. 八点上课, 你最好七点就起床。

三 日期的表达 （Expression of dates）

汉语的日期表达顺序为: 年+月+日。(The sequence for expressing dates in Chinese goes as follows: year+month+date.)

例：1. 1999 年 4 月 3 日

2. 2003 年 6 月 28 日

3. 1972 年 12 月 31 日

在口语里, 常用 "号", 不用 "日"。(In the spoken language, "号" is often used instead of "日".)

例：4月3号/6月28号/12月31号

练习 Exercises

一 语音练习（Pronunciation exercises）

（一）读音（Pronunciation）

Lièrén Róng Lǎoliù,	猎人容老六，
Gǎn jí qù mài ròu.	赶集去卖肉。
Lángròu wú rén wèn,	狼肉无人问，
Lùròu méi mài gòu.	鹿肉没卖够。
Lǎo Róng shǒu yì yáng,	老容手一扬，
Bàn jià mài lángròu.	半价卖狼肉。

（二）听读后选择（Select the word that you hear being read）

1. rén—róng   2. liù—liǔ   3. lán—láng

4. ròu—lǒu   5. gòu—ròu   6. zhuǎn—zhuāng

二 用时间词填表（Fill the table using time words）

前天	
昨天	
今天	9 月 10 日 星期三
明天	
后天	

三 选词填空（Select the word that best fills in the blank）

足球 下雨 休息 前天 回来

1. 我最喜欢看（   ）比赛。

2. 学习四个小时了，（   ）一下儿吧。

3. 我（   ）病了没上课，今天上课时老师的问题我都不会。

4. 你什么时候（   ）？

5. （   ）了，你还出去吗？

感冒 能 医生 最好 药 请假条

我（   ）了，去看（   ）。医生给我开了（   ），

说我（   ）休息一天，所以我今天不（   ）去上课

了。你把我的（　　　）给老师，好吗？

四　**替换练习**（Substitution exercises）

我感冒了，有点儿不舒服，	不能	去上课	。
秋天到了，天气冷了，我们		穿夏天的衣服了	
下雪了，我		出去玩儿了	
早上八点有课，我		睡懒觉	
没钱了，我		买东西了	

五　**辨析选择填空**（Differentiate between the following words, then select the word that best fills in the blank）

能　会

1. 有钱的话，就（　）买东西。
2. 你不（　）写汉字（hànzì）的话，就写拼音（pīnyīn）吧。
3. 玛丽病了，不（　）来上课。
4. 你（　）告诉我你的名字吗？
5. 我不（　）包饺子。

六　**用指定的词语完成对话**（Complete the dialogues by using the words and expressions provided）

1. A：他过生日，我送他什么礼物呢？
   B：_____。（最好）
2. A：我常常熬夜。
   B：_____。（最好）
3. A：我觉得汉语很难，有学习汉语的好方法吗？
   B：_____。（最好）
4. A：我觉得周末没有意思，你呢？
   B：_____。（所以）
5. A：你常常包饺子吗？
   B：_____。（所以）

七　**根据课文完成段落**（Complete the paragraph on the basis of the text in this lesson）

大卫前天去看足球（　　），回来的时候，（　　）

了，他没带（　　），所以他（　　）了，有点儿不（　　），今天不（　　）来上课。

Additional Vocabulary 补充词语

1. 后天　（名）　hòutiān　the day after tomorrow
2. 汉字　（名）　Hànzì　Chinese character
3. 拼音　（名）　pīnyīn　pinyin

 八　汉字练习（Chinese character exercises）

模仿书写下列汉字（**Write down the following words using the correct stroke sequence**）

第二十二课　我喝了半斤白酒

Dì-èrshíèr　kè　Wǒ hē le bàn jīn báijiǔ

（在大卫宿舍）

玛　丽：大卫，你怎么还在睡觉？今天你又没去上课。

大　卫：真不好意思。老师生气了吗？

玛　丽：好像没有生气。你的脸色不太好，昨天晚上熬夜了吗？

大　卫：没有。不过，我喝了半斤白酒，头很疼。

玛　丽：半斤？你疯了？

大　卫：没疯，不过，醉了，也吐了。

玛　丽：你怎么喝那么多酒呢？

大　卫：昨天我去一个中国朋友家吃饭，他们太热情，一直不停地给我倒酒。

玛　丽：有的中国人请客的时候喜欢劝酒，你不知道吗？

大　卫：现在我知道了。哎呀，我很渴，你帮我倒杯水，好吗？

玛　丽：好的。你好像还是很困，继续睡吧。

Mǎlì：　Dàwèi, nǐ zěnme hái zài shuì jiào? Jīntiān nǐ yòu méi qù shàng kè.

Dàwèi：　Zhēn bù hǎoyìsi. Lǎoshī shēng qì le ma?

Mǎlì：　Hǎoxiàng méiyǒu shēng qì. Nǐ de liǎnsè bú tài hǎo, zuótiān wǎnshang áo yè le ma?

Dàwèi：　Méiyǒu. Búguò, wǒ hē le bàn jīn báijiǔ, tóu hěn téng.

Mǎlì：　Bàn jīn? Nǐ fēng le?

Dàwèi：　Méi fēng, búguò, zuì le, yě tù le.

Mǎlì：　Nǐ zěnme hē nàme duō jiǔ ne?

Dàwèi：　Zuótiān wǒ qù yí ge Zhōngguó péngyou jiā chī fàn, tāmen tài rèqíng, yìzhí bù tíng de gěi wǒ dào jiǔ.

Mǎlì： Yǒude Zhōngguó rén qǐng kè de shíhou xǐhuan quàn jiǔ, nǐ bù zhīdào ma?

Dàwèi： Xiànzài wǒ zhīdào le. Āiyā, wǒ hěn kě, nǐ bāng wǒ dào bēi shuǐ, hǎo ma?

Mǎlì： Hǎo de. Nǐ hǎoxiàng háishi hěn kùn, jìxù shuì ba.

New Words and Expressions 生词语

1.	斤	（量）	jīn	*jin*; half a kilogram, *a measure word*
2.	白酒	（名）	báijiǔ	white spirit
3.	生气		shēng qì	be angry
4.	好像	（动）	hǎoxiàng	it seems
5.	脸色	（名）	liǎnsè	look; complexion
6.	熬夜		áo yè	stay up late
7.	头	（名）	tóu	head
8.	疼	（形）	téng	ache
9.	疯	（动）	fēng	crazy
10.	醉	（动）	zuì	drunk
11.	吐	（动）	tù	vomit
12.	饭	（名）	fàn	food
13.	热情	（形）	rèqíng	hospitable
14.	不停		bù tíng	continuouly
15.	地	（助）	de	*particle*
16.	倒	（动）	dào	pour
17.	酒	（名）	jiǔ	wine; spirits
18.	有的		yǒude	some
19.	请客		qǐng kè	feast
20.	劝酒		quàn jiǔ	urge sb. to drink more (at a banquet)
21.	渴	（形）	kě	thirsty
22.	帮	（动）	bāng	help
23.	杯	（名）	bēi	glass; cup
24.	水	（名）	shuǐ	water
25.	困	（形）	kùn	sleepy
26.	继续	（副）	jìxù	continue

语言点 Grammatical Key Points

一 "了"(2) (V+了+ (Number measure word) + O)

"了"用在句中动词后，表示动作完成或实现。(Used after a verb situated in the middle of a sentence, "了" indicates that an action has been completed.)

例：1. 我喝了半瓶白酒。

2. 我买了一件衬衫。

3. 他们吃了一斤饺子。

二 "又"(Again)

"又"表示重复，一般用于已发生的事情。(Indicates repitition, usually of events that have already previously occurred.)

例：1. 你昨天晚上又熬夜了吗？

2. 昨天吃米饭，今天又吃米饭。

3. 今天又下雨了。

三 "好像"(Seem/ Be like/ As if)

"好像"用于不太肯定的判断。 (Used for tentative judgements.)

例：1. 老师好像没有生气。

2. 你好像很困，昨天没睡好吗？

3. 你好像有点儿不舒服，是吗？

练习 Exercises

一 **语音练习**（ Pronunciation exercises）

（一）读音（**Pronunciation**）

Jìnjiāng Chuánchǎng zào hǎo chuán,   晋江船厂造好船，

Shěn Zhuāng Zhuānchǎng shāo hǎo zhuān.　沈庄砖厂烧好砖。

Hǎo zhuān zhuāng zài hǎo chuán shàng,　好砖装在好船上，

Hǎo chuán yáng fān yùn hǎo zhuān.　好船扬帆运好砖。

（二）听读后选择（Select the word that you hear being read）

1. Jìnjiāng—Shěn Zhuāng

2. hǎo chuán—hǎo zhuān

3. zhuāng chuán—shāo zhuān

4. yáng fān—míng yáng

 二　选词填空（Select the word that best fills in the blank）

热情　生气　疯　醉　不停　继续

1. 我上课的时候睡觉，老师（　　）了。

2. 花二百块买一辆旧自行车，你（　　）了吗？

3. 休息十分钟以后，我们（　　）上课。

4. 你不要（　　）地喝酒，行吗？

5. 朋友们都太（　　）了，劝我喝了很多酒，最后我们
都（　　）了。

头疼　渴　脸色　困

大卫感冒了，有点儿（　　），还常常口（kǒu）
（　　），晚上睡觉也不好，所以今天上课的时候他很
（　　），（　　）也不好。老师说他最好休息一天。

 三　替换练习（Substitution exercises）

1. 我 喝 了 半瓶啤酒 。

写	汉字
听	磁带
买	汉语书
知道	电话号码
上	课

2. 你帮我 倒杯水 ，好吗？

| 打电话 |
| 洗衣服 |

包饺子

做作业

背生词

四 组词成句 （Reorganize the groups of words to form sentences）

1. 昨天　你　晚上　熬夜　了　又　吗

_____

2. 中国人　有的　请客　时候　的　劝酒　喜欢

_____

3. 他　不停　一直　地　我　给　倒酒

_____

五 看图说话（用"好像"）（Look at the drawings and make sentences with "好像"）

❶　❷　❸　❹

六 用指定的词语完成句子 （Complete the sentences using the designated words and expressions）

1. A：来中国以后，你看了几次电影？

B：_____。　（V了O）

2. A：玛丽怎么了？

B：_____。　（好像）

3. A：你为什么没来上课？

B：_____。　（帮）

4. A：_____。　（又）

B：你不喜欢吃饺子吗？

5. A：你那儿下雨了吗？

B：_____。　（一直）

七 根据课文完成短文 （Complete the paragraph on the basis of the text in this lesson）

大卫常常（　　）夜，所以他常常不去上课。今天他（　　）没去，不过，这次不是熬夜，是因为他昨天晚上喝了半（　　）白酒，（　　）了。今天他还有点儿（　　），不舒服，所以不能去上课。玛丽去看他的时候，他还在睡觉呢。

Additional Vocabulary 补充词语

口　　　　（名）　　　kǒu　　　　　　　mouth

八 汉字练习（Chinese character exercises）

模仿书写下列汉字 （Write down the following words using the correct stroke sequence）

玛　丽：对不起，我迟到了。

张　红：没关系。路上堵车了吗？

玛　丽：没有。我坐的那辆车坏了，轮
　　　　胎破了。

张　红：是吗？真倒霉。换轮胎换了多
　　　　长时间？

玛　丽：大概换了半个小时。平时一
　　　　个钟头就能到，可是今天我走了一个半小时。你等了我多
　　　　长时间？

张　红：大概四十分钟吧。

玛　丽：着急了吧？真对不起。

玛　丽：你用英语写的作文真不错。

张　红：谢谢。不过，我的口语还不
　　　　行。

玛　丽：我看挺好的。你学了多长时间
　　　　英语？

张　红：我从初中开始学习，已经学
　　　　了十年了。

玛　丽：十年？那么长时间了吗？

张　红：是啊。我的语法还可以，简单的翻译也没问题，可是不太会
　　　　说。你学了多长时间汉语？

玛　丽：我学了半年了。

张　红：下学期你还在北京学习吗？

玛　丽：当然啦，我打算在中国学习两年呢。

Mǎlì： Duìbuqǐ, wǒ chídào le.

Zhāng Hóng：Méi guānxi. Lùshang dǔ chē le ma?

Mǎlì： Méiyǒu. Wǒ zuò de nà liàng chē huài le, lúntāi pò le.

Zhāng Hóng：Shì ma? Zhēn dǎo méi. Huàn lúntāi huàn le duō cháng
shíjiān?

Mǎlì： Dàgài huàn le bàn ge xiǎoshí. Píngshí yí ge zhōngtóu jiù néng
dào, kěshì jīntiān wǒ zǒu le yí ge bàn xiǎoshí. Nǐ děng le wǒ
duō cháng shíjiān?

Zhāng Hóng：Dàgài sìshí fēnzhōng ba.

Mǎlì： Zháojí le ba? Zhēn duìbuqǐ.

Mǎlì： Nǐ yòng Yīngyǔ xiě de zuòwén zhēn búcuò.

Zhāng Hóng：Xièxie. Búguò, wǒ de kǒuyǔ hái bù xíng.

MǎLì： Wǒ kàn tǐng hǎo de. Nǐ xuéle duō cháng shíjiān Yīngyǔ?

Zhāng Hóng：Wǒ cóng chūzhōng kāishǐ xuéxí, yǐjing xuéle shí nián le.

Mǎlì： Shí nián? Nàme cháng shíjiān le ma?

Zhāng Hóng：Shì a. Wǒ de yǔfǎ hái kěyǐ, jiǎndān de fānyì yě méi wèntí,
kěshì bú tài huì shuō. Nǐ xuéle duō cháng shíjiān Hànyǔ?

Mǎlì： Wǒ xué le bàn nián le.

Zhāng Hóng：Xià xuéqī nǐ hái zài Běijīng xuéxí ma?

Mǎlì： Dāngrán la, wǒ dǎsuan zài Zhōngguó xuéxí liǎng nián ne.

New Words and Expressions 生词语

1.	迟到	（动）	chídào	be late for
2.	堵	（动）	dǔ	stop up; block up
	堵车		dǔ chē	traffic jam
3.	坏	（动）	huài	ruin
4.	轮胎	（名）	lúntāi	tyre
5.	破	（动）	pò	break
6.	倒霉		dǎo méi	be down on one's luck
7.	小时	（名）	xiǎoshí	hour
8.	平时	（名）	píngshí	usually
9.	钟头	（名）	zhōngtóu	hour
10.	着急	（形）	zháojí	feel anxious

11. 用	（动）	yòng	use
12. 写	（动）	xiě	write
13. 作文	（名）	zuòwén	essay
14. 口语	（名）	kǒuyǔ	oral
15. 看	（动）	kàn	in one's point of view
16. 学	（动）	xué	study
17. 初中	（名）	chūzhōng	junior high school
18. 语法	（名）	yǔfǎ	grammar
19. 简单	（形）	jiǎndān	simple
20. 翻译	（名）	fānyì	translation
21. 下	（形）	xià	next
22. 学期	（名）	xuéqī	semester

语言点 Grammatical Key Points

一 "了"(3)(V+了+时间(+O))

表示已完成动作持续的时间。 (This expression is used to indicate how long an action lasted.)

例：1. 我学了十年（英语）。

2. 他已经看了四十分钟（电视）。

3. 他住了一个月（医院）。

4. 他们喝了一个小时（酒）。

问句形式 (the form of question) 是：多长时间?

例：1. 你学了多长时间汉语?

2. 你看了多长时间电影?

3. 去上海要多长时间?

二 "就"(2)(Only/ Just)

"时段+就+V"强调动作在很短的时间内完成或发生。("Time segment+就+verb" emphasizes that an event has either occurred or been completed within a very short time interval.)

例：1. 那儿不太远，一个小时就能到。

2. 学骑车很容易，一天就会了。

3. 作业不多，半天就做完了。

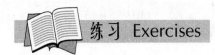

练习 Exercises

一 **语音练习**（Pronunciation exercises）

（一）读音（**Pronunciation**）

Hú shīfu, kè shíhǔ,	胡师傅，刻石虎，
Tā de fūren zuò xīfú.	他的夫人做西服。
Shíhǔ xiāolù hǎo,	石虎销路好，
Xīfú nán shòu chū,	西服难售出，
Hú shīfu de fūren fú le Hú shīfu.	胡师傅的夫人服了胡师傅。

（二）听读后选择 （**Select the word that you hear being read**）

1. shīfu—shíhǔ   2. fūren—fú le
3. xīfú—shíhǔ   4. xiāolù—diànpù

二 **选词填空**（Select the word that best fills in the blank）

用　换　迟到　看　破

1. 这盒磁带不太好，请帮我（　　）一盒吧。
2. 你今天又（　　）了。
3. 下课以后（　　）英语聊天，好吗?
4. 你（　　）我们怎么去好呢?
5. 你的毛衣（　　）了，再买一件吧。

初中　开始　学期　倒霉　平时　钟头

　　（　）的时候，我（　）学习跳舞。（　），我一个星期练习半个（　），放假的时候，我每天都练习。来中国以后，我打算继续跳舞，但是这个（　）我没有时间，真（　）。

三 **替换练习**（Substitution exercises）

我	学	了	十年	英语	。
	学		半年	汉语	

看　十分钟　电视
睡　半个小时　觉
唱　一个小时　卡拉OK

四　组词成句（Reorganize the groups of words to form sentences）

1. 打算 在 我 学习 中国 汉语 两年

   _____

2. 从 学校 这儿 到 一个 小时 一般 到 了 就

   _____

3. 我 语法 可以 的 还 也 简单 翻译 没问题 的

   _____

五　就画线部分提问（Form inquiries for the underlined segments）

1. 我看了一个小时书。　　　_____
2. 玛丽听了半个小时音乐。　_____
3. 玛丽洗了四十分钟衣服。　_____
4. 玛丽打了十分钟电话。　　_____
5. 玛丽学了两年现代文学。　_____

六　用指定的词语完成句子（Complete the sentences using the designated words and expressions given）

1. 这个问题很简单，_____。（就）
2. 老师的家不远，_____。（就）
3. A：这个周末你打算干什么？

   B：_____。（打算）
4. A：你们喝了多长时间咖啡？

   B：_____。（V+了+时间+O）
5. A：_____？（多长时间）

   B：我看了两天DVD。

七 根据课文完成段落 （Complete the paragraph on the basis of the text in this lesson）

　　玛丽（　　）在中国学了半年汉语，下学期她（　　）还在北京学习。昨天，她和朋友有约会，可是她坐的车（　　）了，（　　）轮胎换了半个小时，所以，她（　　）了。

 八 汉字练习（Chinese character exercises）

模仿书写下列汉字(Write down the following words using the correct stroke sequence)

第二十四课　你吃了早饭来找 我

Dì-èrshísì　kè　　Nǐ chī le zǎofàn lái zhǎo wǒ

（在张红宿舍）

李　军：喂，张红，是我。

张　红：李军！你吃饭了吗？

李　军：还没呢。刚打球回来，我想去食堂吃几两饺子，你去吗？

张　红：不去了。今天是小美二十三岁生日，我们宿舍聚会。

李　军：是吗？那祝她生日快乐。

张　红：今天我们做了很多好吃的。我已经吃了一碗面条，还喝了一杯葡萄酒，现在吃冰激凌呢。你也来吧！

李　军：算了，你们女生一起玩儿，我去干什么？晚上你们还有别的安排吗？

张　红：我们打算一起去唱卡拉 OK。

李　军：好好儿玩儿，早一点儿回来，别太晚了。

张　红：放心吧。对了，明天又是周末了，我们去哪儿玩儿？

李　军：美术馆有一个展览很不错，去看展览怎么样？

张　红：好啊，没意见。你吃了早饭来找我，好吗？

李　军：好，明天八点半在你们宿舍门口见面，好吗？

张　红：行。那今晚你干什么？

李　军：和同学上网聊天儿吧。明天见。

张　红：明天见。

Lǐ Jūn：　　Wèi, Zhāng Hóng, shì wǒ.

Zhāng Hóng：Lǐ Jūn! Nǐ chī fàn le ma?

Lǐ Jūn：　　Hái méi ne. Gāng dǎ qiú huílai, wǒ xiǎng qù shítáng chī jǐ liǎng jiǎozi, nǐ qù ma?

Zhāng Hóng：Bú qù le. Jīntiān shì Xiǎo Měi èrshísān suì shēngrì,

wǒmen sùshè jùhuì.

Lǐ Jūn： Shì ma? Nà zhù tā shēngrì kuàilè.

Zhāng Hóng： Jīntiān wǒmen zuò le hěn duō hǎochī de. Wǒ yǐjing chī le yì wǎn miàntiáo, hái hē le yì bēi pútáojiǔ, xiànzài chī bīngjīlíng ne. Nǐ yě lái ba!

Lǐ Jūn： Suànle, nǐmen nǚshēng yìqǐ wánr, wǒ qù gàn shénme? Wǎnshang nǐmen hái yǒu biéde ānpái ma?

Zhāng Hóng： Wǒmen dǎsuan yìqǐ qù chàng kǎlāOK.

Lǐ Jūn： Hǎohāor wánr, zǎo yìdiǎnr huílai, bié tài wǎn le.

Zhāng Hóng： Fàng xīn ba. Duì le, míngtiān yòu shì zhōumò le, wǒmen qù nǎr wánr?

Lǐ Jūn： Měishùguǎn yǒu yí ge zhǎnlǎn hěn búcuò, qù kàn zhǎnlǎn zěnmeyàng?

Zhāng Hóng： Hǎo a, méi yìjiàn. Nǐ chī le zǎofàn lái zhǎo wǒ, hǎo ma?

Lǐ Jūn： Hǎo, míngtiān bā diǎn bàn zài nǐmen sùshè ménkǒu jiàn miàn, hǎo ma?

Zhāng Hóng： Xíng. Nà jīn wǎn nǐ gàn shénme?

Lǐ Jūn： Hé tóngxué shàng wǎng liáo tiānr ba. Míngtiān jiàn.

Zhāng Hóng： Míngtiān jiàn.

New Words and Expressions 生词语

1.	早饭	（名）	zǎofàn	breakfast
2.	找	（动）	zhǎo	look for
3.	球	（名）	qiú	ball
4.	食堂	（名）	shítáng	dinning hall
5.	两	（量）	liǎng	ounce, *a measure word*
6.	聚会	（动）	jùhuì	have a get-together
7.	祝	（动）	zhù	wish
8.	快乐	（形）	kuàilè	happy
9.	碗	（名）	wǎn	bowl, *a measure word*
10.	葡萄酒	（名）	pútáojiǔ	wine
11.	冰激凌	（名）	bīngjīlíng	icecream
12.	算了		suàn le	let it be

13.	女生	（名）	nǚshēng	school girl
14.	晚	（形）	wǎn	late
15.	放心		fàng xīn	rest assured
16.	美术馆	（名）	měishùguǎn	art gallery
17.	展览	（名）	zhǎnlǎn	exhibition
18.	意见	（名）	yìjiàn	opinion
	没意见		méi yìjiàn	OK, I agree.
19.	门口	（名）	ménkǒu	gate
20.	见面		jiàn miàn	meet
21.	上网		shàng wǎng	access the internet; be on line
22.	聊天儿		liáo tiānr	chat

Proper Nouns　专有名词

| 小美 | Xiǎo Měi | *name of a person* |

语言点 Grammatical Key Points

一　"了"(4)：

用在句中第一个动词后，表示某一动作在另一动作之前发生。(Used after the first verb situated in the middle of a sentence (verb₁+ 了 +object +verb₂+object)，"了" indicates that one event occurred or will occur prior to the other.)

例：1. 你吃了早饭来找我。

2. 我喝了咖啡去上课。

3. 买了礼物给他。

二　祈使句(**Imperative sentence**)

主语是第二人称或第一人称复数，可用来表达命令、请求、建议等。(The subject of an imperative sentence should be "you" or "we". Imperative sentence can be used to issue an order, give a suggestion, or make an request, etc.)

例：1. 你放心吧!

2. 我们一起去吧。

3. 好好儿玩儿!

否定式常用"不要"、"别"。 (The negative form often includes "不要" or "别".)

例：1. 早睡早起身体好，不要睡懒觉。

2. 明天早点儿起床，别迟到。

3. 别喝了!

三　时间、地点状语的语序 (The order of time adverbial and locational adverbial)

S+ (time) +在 (location) +verb or
(time) +S+在 (location) +verb

例：1. 我们明天八点半在你们宿舍门口见面。

2. 今天我在图书馆学习。

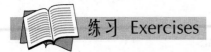 练习 Exercises

 一　语音练习 (Pronunciation exercises)

(一) 读音 (Pronunciation)

1. zhǎnlǎn　　yǔsǎn　　dǎ jiǎ　　　　zǒu hǎo
   kěnqiú　　gǒnggù　　fěi wén　　　　ěxin

2. Xiǎo tù pǎo de màn,　　　　小兔跑得慢，
   Dà tù pǎo de kuài.　　　　大兔跑得快。
   Xiǎo tù bǐ dà tù pǎo de màn,　　小兔比大兔跑得慢，
   Dà tù bǐ xiǎo tù pǎo de kuài.　　大兔比小兔跑得快。

(二) 听读后选择　(Select the word that you hear being read)

1. tiětǎ—dǎ tiě　　　　　2. xiǎng dǎ—kāi huā

3. tiěpén—tiěwǎn　　　　4. diēdie—tiětǎ

二 选词填空（Select the word that best fills in the blank）

找　祝　上　放心　见面

1. 小明，（　　）你生日快乐！
2. 路上车很多，孩子一个人去学校，妈妈有点儿不（　　）。
3. 你帮我（　　）一个中国朋友，好吗？
4. 明天晚上七点，我们在酒吧门口（　　），好吗？
5. 我在图书馆（　　）网发E-mail。

高兴　快乐　聚会　聊天儿

　　周末我常常和朋友（　　），我们一起喝酒、（　　）、唱歌，很（　　），也很（　　）。

三 （替换练习 Substitution exercises）

你 吃 了 早饭　来找我。

做	作业	出去玩儿
洗	脸	去睡觉
借	书	回宿舍
喝	酒	就头疼

四 组词成句 （Reorganize the groups of words to form sentences）

1. 我　吃　面条　一碗　了　已经

_____

2. 我们　一起　唱　卡拉OK　去　打算　今天　晚上

_____

3. 明天　八点　早上　宿舍　门口　见面　我们　在

五 用"不要"或"别"改写句子（Rewrite the sentences using "不要" or "别"）

1. 你去吧。　　　_____
2. 现在可以说话。　_____
3. 星期天我打算睡懒觉。_____

4. 我吃冰激凌。　＿＿＿＿＿＿＿＿＿＿＿＿＿＿

5. 我要喝白酒。　＿＿＿＿＿＿＿＿＿＿＿＿＿＿

六　用指定的词语完成对话 （Complete the dialogues by using the designated words and expressions）

1. A：你明天打算干什么？

   B：＿＿＿＿＿＿＿＿＿＿＿＿＿＿。　（V₁了＋O＋V₂＋O）

2. A：妈妈，我看电视，行吗？

   B：＿＿＿＿＿＿＿＿＿＿＿＿＿＿。　（别）

3. A：你现在觉得怎么样？

   B：＿＿＿＿＿＿＿＿＿＿＿＿＿＿。　（adj＋一点儿）

4. A：我送给他一束花，行吗？

   B：＿＿＿＿＿＿＿＿＿＿＿＿＿＿。　（别）

七　根据课文完成段落 （Complete the paragraph on the basis of the text in this lesson）

　　张红的同学小美过二十三岁（　　），她们一起（　　）庆祝（qìngzhù）。张红的男朋友李军打电话的时候，她们（　　）在吃饭、喝酒。张红叫李军一起去（　　）卡拉OK，可是李军不去，他要（　　）聊天儿。明天他们两个人一起去看（　　）。

Additional Vocabulary　　**补充词语**

庆祝　　（动）　　　qìngzhù　　　　　celebrate

八　**汉字练习**（Chinese character exercises）

模仿书写下列汉字（Write down the following words using the correct stroke sequence）

第二十五课　你得多 锻炼 锻炼 了

Dì-èrshíwǔ　kè　　Nǐ děi duō duànliàn duànliàn le

（在宿舍）

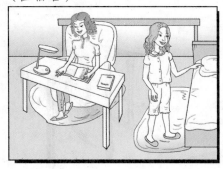

玛　丽：晚安，中村。

中　村：你这么早就要睡觉？不看电
　　　　视剧吗？

玛　丽：不看了。明天早上有太极拳
　　　　课，我得早一点儿起床。

中　村：你也参加太极拳班吗？太好
　　　　了，我也报名了。

玛　丽：你也喜欢打太极拳吗？

中　村：喜欢。我刚来中国的时候，学了半年太极拳，可是现在都忘
　　　　了，所以我要重新学。

玛　丽：那明天我们一起开始吧！你有闹钟吗？

中　村：有，明天早上我叫你。

玛　丽：你也别看书了，早一点儿睡吧。

中　村：早上的空气真新鲜。

玛　丽：是啊。我还要去湖边跑步，你去吗？

中　村：不去了。打了一个小时太极拳，我有点儿累，没劲儿了。

玛　丽：你出了很多汗。看起来，你得多锻炼锻炼了。

中　村：是啊。你的身体真棒，不累
　　　　吗？

（在操场上）

玛　丽：不累，我每天都跑步。

中　村：是吗？我怎么不知道？

玛　丽：我跑步的时候，你还在睡觉
　　　　呢。

中　村：真不好意思。你每天跑多长
　　　　时间？

玛　丽：大概跑半个小时。

中　村：以后我吃了晚饭也去散散步。

Mǎlì：　　Wǎn'ān, Zhōngcūn.

Zhōngcūn：Nǐ zhème zǎo jiù yào shuì jiào? Bú kàn diànshìjù ma?

Mǎlì：　　Bú kàn le. Míngtiān zǎoshang yǒu Tàijíquán kè, wǒ děi zǎo
　　　　　yìdiǎnr qǐ chuáng.

Zhōngcūn：Nǐ yě cānjiā Tàijíquán bān ma? Tài hǎo le, wǒ yě bào míng le.

Mǎlì：　　Nǐ yě xǐhuan dǎ Tàijíquán ma?

Zhōngcūn：Xǐhuan. Wǒ gāng lái Zhōngguó de shíhou, xuéle bàn nián
　　　　　Tàijíquán, kěshì xiànzài dōu wàng le, suǒyǐ wǒ yào chóngxīn xué.

Mǎlì：　　Nà míngtiān wǒmen yìqǐ kāishǐ ba! Nǐ yǒu nàozhōng ma?

Zhōngcūn：Yǒu, míngtiān zǎoshang wǒ jiào nǐ.

Mǎlì：　　Nǐ yě bié kàn shū le, zǎo yìdiǎnr shuì ba.

Zhōngcūn：Zǎoshang de kōngqì zhēn xīnxiān.

Mǎlì：　　Shì a. Wǒ hái yào qù hú biān pǎo bù, nǐ qù ma?

Zhōngcūn：Bú qù le. Dǎ le yí ge xiǎoshí Tàijíquán, wǒ yǒudiǎnr lèi,
　　　　　méi jìnr le.

Mǎlì：　　Nǐ chū le hěn duō hàn. Kànqilai, nǐ děi duō duànliàn duànliàn le.

Zhōngcūn：Shì a. Nǐ de shēntǐ zhēn bàng, bú lèi ma?

Mǎlì：　　Bú lèi, wǒ měi tiān dōu pǎo bù.

Zhōngcūn：Shì ma? Wǒ zěnme bù zhīdào?

Mǎlì：　　Wǒ pǎo bù de shíhou, nǐ hái zài shuì jiào ne.

Zhōngcūn：Zhēn bù hǎoyìsi. Nǐ měi tiān pǎo duō cháng shíjiān?

Mǎlì：　　Dàgài pǎo bàn ge xiǎoshí.

Zhōngcūn：Yǐhòu wǒ chī le wǎnfàn yě qù sànsan bù.

New Words and Expressions 生词语

1.	锻炼	（动）	duànliàn	take exercise
2.	晚安		wǎn ān	Good night.
3.	电视剧	（名）	diànshìjù	drama; soap opera
4.	太极拳	（名）	Tàijíquán	*Taiji*
5.	参加	（动）	cānjiā	attend

6.	班	（名）	bān	class; team
7.	报名		bào míng	register
8.	打	（动）	dǎ	play
9.	忘	（动）	wàng	forget
10.	重新	（副）	chóngxīn	over again
11.	闹钟	（名）	nàozhōng	alarm clock
12.	空气	（名）	kōngqì	air
13.	新鲜	（形）	xīnxiān	fresh
14.	湖	（名）	hú	lake
15.	跑步		pǎo bù	run
16.	劲儿	（名）	jìnr	strength
17.	出	（动）	chū	out
18.	汗	（名）	hàn	sweat
19.	棒	（形）	bàng	very good
20.	跑	（动）	pǎo	run
21.	散步		sàn bù	go out for a walk

 语言点 Grammatical Key Points

能愿动词小结(Brief summary of modal auxiliaries)

1. "会"：表示有某种技能。（Know how to: Indicates the possession of any given skill.)

    例：我会打太极拳。

2. "可以"：用于许可。（May: Used for (asking or giving) permission.)

    例：不会说汉语的话，你可以说英语。

3. "能"：表示有能力或可能。（Can/Be able to: Indicates the possibility of, or the ability to do, something.)

    例：他病了，不能上课。

4. "要"：表示主观意愿。(Want to: Indicates subjective desire.)

    例：我还要去跑步，你去吗？

5. "得"：表示客观上必须做某事。(Have to: Indicates, from an objective point of view, that something must, or should be done.)

    例：明天早上有太极拳课，我得早一点儿起床。

单元小结（五）

语言点	课文序号	例句
1. "能"	21	我今天不能上课。
2. "最好"	21	你最好休息一天。
3. 日期表达	21	2004年3月10日
4. "了"(2)	22	我买了三本书。
5. "又"	22	他喝了一杯白酒,又喝了一瓶啤酒。
6. "好像"	22	你好像感冒了。
7. V+"了"+时间(+O)	23	我学了一年汉语。
8. "就"(2)	23	十分钟就到了。
9. "了"(3)	24	我下了课去图书馆。
10. 祈使句	24	不要喝酒。/下雨了,别去了!
11. 时间、地点状语的语序	24	我明天八点在学校门口等你。

 练习 Exercises

 一 **语音练习**（Pronunciation exercises）

（一）读音（Pronunciation）

1. yǒu diǎnr   méi jìnr   wánr   xiǎotōur
   ménliǎnr   pínggàir   xiǎoháir   xiānhuār

2. Yǒu ge xiǎoháir,　　　　　　　　有个小孩儿,
   Ài hē qìshuǐr.　　　　　　　　　　爱喝汽水儿。
   Yǒu ge lǎotóur,　　　　　　　　　有个老头儿,
   Ài shōu shuǐpíngr.　　　　　　　　爱收水瓶儿。
   Xiǎoháir hē wán qìshuǐr,　　　　　小孩儿喝完汽水儿,
   Lǎotóur lái shōu shuǐpíngr.　　　　老头儿来收水瓶儿。
   Liǎng rén yìqǐ chàng gēr,　　　　　两人一起唱歌儿,
   Gāogāoxìngxìng wánr huìr.　　　　高高兴兴玩儿会儿。

（二）听读后选择 (Select the word that you hear being read)

　1. zǐr—sīr　　　　　　　　　2. gēnr—gēn

3. huār—dōur   4. ǎor—ǎo

二　用适当的词语填空（Fill in the blanks with suitable words to complete the phrases）

1. 打（　　）   2. 看（　　）   3. 锻炼（　　　　）
4. 出（　　）   5. 上（　　）   6. 参加（　　　　）

三　选词填空（Select the word that best fills in the blank）

电视剧　忘　闹钟　晚饭

1. 看（　　）的时候，她哭了。
2. 我的（　　）坏了，所以今天早上七点我没有起床。
3. 对不起，我（　　）了你的名字。
4. 我一般六点半吃（　　）。

太极拳　报名　重新　跑步　锻炼

来中国以后，我每天学习，不（　　），身体很不好。最近，我（　　）开始锻炼，每天早上起来打（　　），睡觉以前去（　　），所以，我的身体又好了。下个月学校有运动会（yùndònghuì），我也（　　）了。

四　辨析选择（Differentiate between the following words, then fill in the blanks with the most suitable choice）

可以　会　要　得　能

1. 你们都（　　）打太极拳吗？
2. 学了半年汉语，他（　　）说汉语了吗？
3. 下课的时候，你们（　　）说英语，但是最好说汉语。
4. 周末，我（　　）去老师家，你去吗？
5. 明天考试，今天我不（　　）去玩儿，我（　　）在房间学习。

五　组词成句（Reorganize the groups of words to form sentences）

1. 你　早　这么　就　睡觉　要　了　吗

2. 打算 以后 我 吃 晚饭 了 散步 去 每天

_____

3. 时候 我 的 还 你 睡觉 在 呢 跑步

_____

六 用指定的词语完成句子（Complete the sentences using the designated words and expressions）

1. A：他为什么这么努力学习？

B：_____。（得）

2. A：你为什么这么早睡觉？

B：_____。（V了+时间+O）

3. A：我给你打电话的时候，你在干什么？

B：_____。（在V）

4. A：你每天学习多长时间？

B：_____。（大概）

5. A：我还想喝酒。

B：_____。（别V了）

七 根据课文完成段落（Complete the paragraph on the basis of the text in this lesson）

玛丽常常（　　）身体，她每天早上都（　　）。最近她又（　　）学习打太极拳。中村刚来中国的时候，学了半年太极拳，后来都（　　）了，所以她也打算（　　）学。第一天打太极拳，中村觉得（　　）累，因为她平时很少锻炼，每天早上玛丽去跑步的时候，她还在（　　）呢。

八 阅读（Reading）

大卫最近常常熬夜，有时候和朋友一起聚会喝酒，有时候上网聊天儿，有时候看DVD，总是 (zǒngshì) 很晚才睡觉。他早上睡懒觉，上课常常迟到，还常常不做作业。他没有锻炼身体，所以身体很不好。昨天喝了一瓶啤酒以后，他觉得很不舒服，头疼，很困。他去看了医生，医生告诉他最好早睡早起，每天锻炼。大卫打算以后每天早上打一会儿太极拳，吃了晚饭还要去散步。

根据短文回答问题（Answer the following questions based on the short passage above）

1. 大卫身体不好的原因是什么？

_____

2. 大卫昨天觉得怎么样？

_____

3. 他以后还要熬夜吗？

_____

Additional Vocabulary 补充词语

1. 运动会　（名）　　yùndònghuì　　sports meet
2. 总是　　（副）　　zǒngshì　　　always

 九　汉字练习（Chinese character exercises）

模仿书写下列汉字（Write down the following words using the correct stroke sequence）

第二十六课　快考试了

Dì-èrshíliù　kè　Kuài kǎoshì le

（在教室门口）

大　卫：今天你去哪儿了？我给你打了一个电话，可是你不在。

玛　丽：我去图书馆了，在那儿看了一个下午的书。

大　卫：你真用功。

玛　丽：快考试了，我基础不好，只好努力学习了。有事儿吗？

大　卫：快要放假了，我们打算假期去旅行，你想和我们一起去吗？

玛　丽：你们打算去哪儿？

大　卫：还没决定，可能去东北。

玛　丽：大概什么时候出发？

大　卫：可能下个周末。

玛　丽：好，我考虑考虑。

玛　丽：中村，你在干什么呢？

中　村：在给朋友写信呢。圣诞节快到了，新年也要来了，得给朋友们寄贺卡了。

（在宿舍）

圣诞节快到了，新年也要来了……

玛　丽：写了那么多啊！

中　村：没办法，亲戚朋友多，我整整写了两个小时呢。

玛　丽：现在邮局人很多，你一会儿再去寄吧。

中　村：是吗？你怎么知道？

玛　丽：我刚才去邮局买邮票和信封，差不多排了半个小时的队。

中　村：那好，我一会儿再去吧。

Dàwèi： Jīntiān nǐ qù nǎr le? Wǒ gěi nǐ dǎ le yí ge diànhuà, kěshì nǐ bú zài.

Mǎlì： Wǒ qù túshūguǎn le, zài nàr kàn le yí ge xiàwǔ de shū.

Dàwèi： Nǐ zhēn yònggōng.

Mǎlì： Kuài kǎoshì le, wǒ jīchǔ bù hǎo, zhǐhǎo nǔlì xuéxí le. Yǒu shìr ma?

Dàwèi： Kuàiyào fàng jià le, wǒmen dǎsuan jiàqī qù lǚxíng, nǐ xiǎng hé wǒmen yìqǐ qù ma?

Mǎlì： Nǐmen dǎsuan qù nǎr?

Dàwèi： Hái méi juédìng, kěnéng qù Dōngběi.

Mǎlì： Dàgài shénme shíhou chūfā?

Dàwèi： Kěnéng xià ge zhōumò.

Mǎlì： Hǎo, wǒ kǎolǜ kǎolǜ.

Mǎlì： Zhōngcūn, nǐ zài gàn shénme ne?

Zhōngcūn： Zài gěi péngyou xiě xìn ne. Shèngdàn Jié kuài dào le, xīnnián yě yào lái le, děi gěi péngyoumen jì hèkǎ le.

Mǎlì： Xiě le nàme duō a!

Zhōngcūn： Méi bànfǎ, qīnqi péngyou duō, wǒ zhěngzhěng xiě le liǎng ge xiǎoshí ne.

Mǎlì： Xiànzài yóujú rén hěn duō, nǐ yíhuìr zài qù jì ba.

Zhōngcūn： Shì ma? Nǐ zěnme zhīdào?

Mǎlì： Wǒ gāngcái qù yóujú mǎi yóupiào hé xìnfēng, chàbuduō pái le bàn ge xiǎoshí de duì.

Zhōngcūn： Nà hǎo, wǒ yíhuìr zài qù ba.

New Words and Expressions 生词语

1.	快…了		kuài...le	is going to
2.	用功	（形）	yònggōng	hard-working; study hard
3.	基础	（名）	jīchǔ	base; foundation
4.	只好	（副）	zhǐhǎo	have to
5.	努力	（形）	nǔlì	deligent
6.	快要…了		kuàiyào...le	is going to
7.	放假		fàng jià	have a holiday

8. 假期	（名）	jiàqī	holiday
9. 旅行	（动）	lǚxíng	travel
10. 决定	（动）	juédìng	decide
11. 可能	（助动）	kěnéng	may
12. 出发	（动）	chūfā	start off
13. 考虑	（动）	kǎolǜ	think over
14. 信	（名）	xìn	letter
15. 圣诞节	（名）	Shèngdàn Jié	Christmas
16. 新年	（名）	xīnnián	new year
17. 寄	（动）	jì	send; post
18. 贺卡	（名）	hèkǎ	card
19. 办法	（名）	bànfǎ	way; means; method
20. 亲戚	（名）	qīnqi	relative
21. 整整	（副）	zhěngzhěng	wholly
22. 再	（副）	zài	then (*indicating that one action takes place after the completion of another*)
23. 刚才	（名）	gāngcái	just now
24. 邮票	（名）	yóupiào	stamp
25. 信封	（名）	xìnfēng	envelop
26. 排队		pái duì	stand in a line

Proper Nouns 专有名词

东北	Dōngběi	Northeast

语言点 Grammatical Key Points

一 "快……了"/"要……了"/"快要……了"

这三个格式都用来表示事件或动作即将发生。 (The three patterns all indicate that an incident or an action is about to take place.)

例：1. 快考试了，我得努力学习了。

2. 快要放假了，我们打算去旅行。

3. 新年要到了，我要给朋友寄贺卡了。

二　"只好"（Have no choice but to）

表示没有别的办法。（Indicates that there's no other alternative.）

例：1. 下雨了，不能出去玩儿，只好在房间里看电视。

2. 没有饺子了，我只好吃面条。

三　"可能"（Probably/ Maybe/ Perhaps）

表示可能性。（Implies the possibility.）

例：1. 我们可能下个周末出发。

2. 他可能病了，所以没来上课。

四　"再"

表示在某一时间再做某事 (时间+再V)。（"time+再verb" in-dicates that an action will be done at a later time.）

例：1. 现在邮局人很多，你一会儿再去吧。

2. 我现在还不去，半个小时以后再去。

 练习 Exercises

 一　语音练习（Pronunciation exercises）

Chūn mián bù jué xiǎo,	春眠不觉晓，
Chù chù wén tí niǎo.	处处闻啼鸟。
Yè lái fēng yǔ shēng,	夜来风雨声，
Huā luò zhī duō shǎo.	花落知多少。

 二　选词填空（Select the word that best fills in the blank）

用功　旅行　考虑　排队　刚才

1. 玛丽是一个很（　　）的学生。

2. 我正在（　　）这个问题。

3. 假期里去（　　）的人多不多？

4. 请（　　）上公共汽车。

5. （　　）说话的那个人是谁？

| 圣诞节　邮局　差不多　重要　旅行　亲戚　贺卡 |

　　（　　）快到了，很多留学生打算去（　　）。但是，圣诞节不是中国人的节日。对中国人来说，新年是一个比较（　　）的节日。新年以前，人们都给（　　）朋友寄（　　），所以（　　）很忙。但是最近几年，很多人不买贺卡了，他们发电子(diànzǐ)贺卡。电子贺卡的作用(zuòyòng)和贺卡（　　），还很有意思。

三　替换练习（Substitution exercises）

　　快要 | 放假 | 了，我们打算 | 假期去旅行 | 。

考试	在宿舍学习
到冬天	去商店买衣服
到周末	去迪厅跳舞
吃饭	去食堂吃面条

四　组词成句　（Reorganize the groups of words to form sentences）

1. 我　写　两　小时　个　整整　了　呢

_____

2. 我　排　差不多　了　半　小时　个　的　队

_____

3. 快要　了　去　我们　放假　打算　旅行　假期

_____

五　用"只好"改写句子（Rewrite the sentences using"只好"）

1. 没有公共汽车，也没有出租汽车，我走路回学校。

_____

2. 没有时间了，我不吃早饭了。

_____

3. 没有衣服了，我去商店买新的。

_____

4. 太困了，我喝咖啡。

_____

5. 要考试了，我要背很多生词。

_____

六　用指定的词语完成对话（Complete the sentences using the designated words and expressions）

1. _____（快……了），得快点儿走。

2. 我的自行车坏了，_____。（只好）

3. A：他去哪儿了？你知道吗？

　　B：_____。（可能）

4. A：你现在就睡吗？

　　B：_____。（再）

七　用下面的词语写一段对话（Use the following words and expressions to compose a dialogue）

只好　可能　再　刚才　要……了

_____

_____

_____

_____

Additional Vocabulary　补充词语

1. 电子	（名）	diànzǐ	electrion
2. 作用	（名）	zuòyòng	function

八 汉字练习（Chinese character exercises）

模仿书写下列汉字（Write down the following words using the correct stroke sequence）

（在咖啡馆）

李　军：快放假了，你有什么打算？

大　卫：我打算去旅行。来中国快半年了，我一直呆在北京，想去别的地方看看。

李　军：你打算去哪儿旅行？

大　卫：还没决定。我的朋友想去哈尔滨。

李　军：哈尔滨？那个地方冬天非常冷。

大　卫：不过听说哈尔滨冬天的风景美极了，我想去看看。你假期怎么过？

李　军：我打算在学校复习功课。

大　卫：复习功课？你那么用功啊？

李　军：快要毕业了，我想考研究生，所以得抓紧时间复习复习。

大　卫：是吗？你打算考哪个方面的研究生？

李　军：我对中国古代历史很感兴趣，想考张大朋教授的。

大　卫：真棒，你一定能考上！那你春节不回家了？

李　军：大概要回家几天，爸爸妈妈也让我回家。我正在考虑这个问题呢。

大　卫：回家看看也是应该的，你爸妈一定很想念你。

李　军：是啊，我得安排时间回家一趟。

Lǐ Jūn：　Kuài fàng jià le, nǐ yǒu shénme dǎsuan?

Dàwèi：　Wǒ dǎsuan qù lǚxíng. Lái Zhōngguó kuài bàn nián le, wǒ yìzhí dāi zài Běijīng, xiǎng qù biéde dìfang kànkan.

Lǐ Jūn：　Nǐ dǎsuan qù nǎr lǚxíng?

Dàwèi：　Hái méi juédìng. Wǒ de péngyou xiǎng qù Hāěrbīn.

Lǐ Jūn：　Hāěrbīn? Nà ge dìfang dōngtiān fēicháng lěng.

Dàwèi： Búguò tīngshuō Hāěrbīn dōngtiān de fēngjǐng měi jí le, wǒ xiǎng qù kànkan. Nǐ jiàqī zěnme guò?

Lǐ Jūn： Wǒ dǎsuan zài xuéxiào fùxí gōngkè.

Dàwèi： Fùxí gōngkè? Nǐ nàme yònggōng a?

Lǐ Jūn： Kuài yào bìyè le, wǒ xiǎng kǎo yánjiūshēng, suǒyǐ děi zhuājǐn shíjiān fùxí fùxí.

Dàwèi： Shì ma? Nǐ dǎsuan kǎo nǎ ge fāngmiàn de yánjiūshēng?

Lǐ Jūn： Wǒ duì Zhōngguó gǔdài lìshǐ hěn gǎn xìngqù, xiǎng kǎo Zhāng Dàpéng jiàoshòu de.

Dàwèi： Zhēn bàng, nǐ yídìng néng kǎoshàng! Nà nǐ Chūn Jié bù huí jiā le?

Lǐ Jūn： Dàgài yào huí jiā jǐ tiān, bàba māma yě ràng wǒ huí jiā. Wǒ zhèngzài kǎolǜ zhè ge wèntí ne.

Dàwèi： Huí jiā kànkan yě shì yīnggāi de, nǐ bà mā yídìng hěn xiǎngniàn nǐ.

Lǐ Jūn： Shì a, wǒ děi ānpái shíjiān huí jiā yí tàng.

New Words and Expressions 生词语

1. 让	（介）	ràng	let	
2. 呆	（动）	dāi	stay	
3. 地方	（名）	dìfang	place	
4. 风景	（名）	fēngjǐng	scenery	
5. 美	（形）	měi	beautiful	
6. …极了		…jí le	extremely (*used after adjective indicating the high degree*)	
7. 复习	（动）	fùxí	review; brush up	
8. 功课	（名）	gōngkè	assignment	
9. 毕业	（动）	bìyè	graduate	
10. 抓紧	（动）	zhuājǐn	grasp; take advantage of (time)	
11. 方面	（名）	fāngmiàn	aspect	
12. 古代	（名）	gǔdài	ancient	
13. 历史	（名）	lìshǐ	history	
14. 感兴趣		gǎn xìngqù	be interested in	

15. 教授	（名）	jiàoshòu	professor
16. 一定	（副）	yídìng	by all means
17. 考	（动）	kǎo	take an examination
考上		kǎoshàng	pass the exam
18. 春节		Chūn Jié	Spring Festival
19. 问题	（名）	wèntí	problem
20. 应该	（助动）	yīnggāi	should
21. 想念	（动）	xiǎngniàn	miss
22. 趟	（量）	tàng	a measure word

专有名词

1. 哈尔滨	Hāěrbīn	*name of a place*
2. 张大朋	Zhāng Dàpéng	*name of a person*

语言点 Grammatical Key Points

一 形容词+"极了"（Extremely/ Excessively/ Very...）

"adj+极了"表示程度很高。 (It indicates that the specified adjective is to a rather excessive degree.)

例：1. 那个地方冬天冷极了。

2. 哈尔滨的风景漂亮极了。

3. 北京的夏天热极了。

二 "想"/"要"（Want to）

表示主观意愿："想"常常表示停留于心愿而行动上不一定做；"要"则表示决心行动，一般不用否定式。 (Indicates subjective desire："想" often indicates a desire that remains only a wish and may have no possibility of occurring. On the other hand, "要" indicates determined action. And usually its negative form is not used.)

例：1. 我想/要学俄语，也想/要学法语。

2. 我想/要买一件衣服，你和我一起去吗？

3. 我不想考研究生，可是我爸爸让我考。（*不要）

4. 放假了，可是我不想去旅行，我要复习功课。

5. 我一定要考研究生。(*想)

三 动量词

用在动词后面，表示动作的次数。(The words, such as "趟"、"次", are used after verbs. They indicate the number of instances an action has occurred.)

例：1. 我想去一趟。

2. 我们包了两次饺子。

3. 这个字他写了三遍 (biàn)。

练习 Exercises

一 语音练习（Pronunciation exercises）

Bái rì yī shān jìn,	白日依山尽，
Huáng Hé rù hǎi liú.	黄河入海流。
Yù qióng qiān lǐ mù,	欲穷千里目，
Gèng shàng yì céng lóu.	更上一层楼。

二 量词填空（Fill in the blanks with measure words）

1. 我买了一（　）啤酒、一（　）书、一（　）衣服。

2. 他去了一（　）学校。

3. 我们去老师家两（　）

4. 这个字我写了三（　）。

三 选词填空（Select the word that best fills in the blank）

　决定　一定　应该　问题　想念

1. 我们（　）放假以后去旅行。

2. 我们是学生，（　）努力学习。

3. 来中国以后，我很（　）爸爸妈妈和朋友们。

4. 这个（　）太难了，我不会。

5. 明天你（　）要早点儿来。

　一直　毕业　研究生　历史　感兴趣

有的专业的学生找工作非常难，比如(bǐrú)(　　)专业。有很多学历史的学生快(　　)的时候,决定考别的专业的(　　)。只有(zhǐyǒu)对历史特别(　　)的人,才会(　　)学习这个专业。

四 替换练习 (Substitution exercises)

爸爸妈妈	让我	回去	。
老师		回答	
妈妈		去买速冻饺子	
玛丽		帮她做作业	
大卫		去唱卡拉OK	
医生		住院	

五 用"极了"改写句子 (Rewrite the sentences using "极了")

1. 大卫喝醉酒了，头很疼。_____
2. 她家的房子非常大。_____
3. 哈尔滨的冬天很冷。_____
4. 那儿的交通非常方便。_____
5. 玛丽的汉语已经说得很好了。_____

六 辨析选择 (Differentiate between the following words, then select the word that best fills in the blank)

想	要

1. 老师，我 (　　) 去您家玩儿，可以吗?
2. 妈妈，我 (　　) 回家吃饭，您给我做一点儿好吃的。
3. 你别走，我有事儿 (　　) 告诉你。
4. 我不 (　　) 上课了，我们去玩玩儿吧。
5. 我 (　　) 去桂林，可是有时间的时候我没有钱，有了钱我又没有时间。
6. 我 (　　) 学习英语，我一定 (　　) 去英国。

七　用指定的词语完成对话（Complete the dialogues by using the words and expressions provided）

1. A：你为什么来中国留学？

　　B：＿＿＿＿＿＿＿＿＿＿＿＿＿。（对……感兴趣）

2. A：她有了男朋友以后，觉得幸福吗？

　　B：＿＿＿＿＿＿＿＿＿＿＿＿＿。（极了）

3. A：你为什么不去法国留学？

　　B：＿＿＿＿＿＿＿＿＿＿＿＿＿。（让）

4. A：你去一趟购物中心要多长时间？

　　B：＿＿＿＿＿＿＿＿＿＿＿＿＿。（得）

八　阅读（Reading）

难忘的同屋

对留学生来说，很多人都想有一个好同屋。

我的第一个同屋是一个非常有趣 (yǒuqù) 的人。他有很多朋友，大家都喜欢他。他的汉语说得不太好，但是他很会交 (jiāo) 朋友，我想这和他的幽默 (yōumò) 有很大关系。

有一天，他和中国朋友打电话聊天儿的时候，想对朋友说"生日快乐"，不过他忘了怎么说。我小声告诉他以后，他大声说："生日坏了。"他听错了！

刚到中国的时候，他不会说汉语。上完课以后他告诉朋友说："今天我学了一些汉语生词。"然后他大声说："认识你，很干净。"他又说错了！

后来 (hòulái)，他第一次和别人见面的时候，都说："认识你，很干净。"他觉得这是一个好办法，可以让他和别人很快成为 (chéngwéi) 朋友。

Additional Vocabulary 　补充词语

1. 比如	（动）	bǐrú	for example
2. 只有	（副）	zhǐyǒu	only
3. 有趣	（形）	yǒuqù	funny; intersting
4. 交	（动）	jiāo	make (friend)
5. 幽默	（形）	yōumò	humourous

6. 后来　（名）　hòulái　　　later
7. 成为　（动）　chéngwéi　　become

 九　汉字练习（Chinese character exercises）

模仿书写下列汉字（Write down the following words using the correct stroke sequence）

第二十八课 考 得怎么样?

Dì-èrshíbā kè Kǎo de zěnmeyàng?

玛 丽:张红,你们什么时候开始考试?

张 红:已经开始了,上个星期考了两门,这个星期还有一门就完了。

玛 丽:你们只考三门课,那么少?

张 红:我们有些课不考试,只写报告。你们什么时候考试?

玛 丽:明天开始。现在我每天复习,看书看得头疼,都快累死了。

张 红:是啊,我也是。今天晚上去放松一下,怎么样?

玛 丽:好吧。太紧张了,学习效果也不好。

张 红:对呀。会学习,也要会休息,对吧?

(在图书馆门口)

(在教学楼门口)

张 红:玛丽,考试考得怎么样?

玛 丽:不太好,有两个生词忘了怎么写,还有一道题没有做。

张 红:是吗?为什么?

玛 丽:时间不够了。

张 红:哪道题你没做?

玛 丽:阅读。汉字太难了!我看汉字看得很慢,写汉字也写得很慢。

张 红:对欧美人来说,汉字确实有点儿难。

玛 丽:你有什么记汉字的好方法吗?

张 红:我有一本给留学生编写的汉字故事书,你想看吗?

玛 丽:好啊,借给我看看吧,也许有帮助。

张 红:别担心,你一定能解决这个问题。

Mǎlì： Zhāng Hóng, nǐmen shénme shíhou kāishǐ kǎoshì?

Zhāng Hóng：Yǐjing kāishǐ le, shàng ge xīngqī kǎo le liǎng mén, zhè ge xīngqī hái yǒu yì mén jiù wán le.

Mǎlì： Nǐmen zhǐ kǎo sān mén kè, nàme shǎo?

Zhāng Hóng：Wǒmen yǒuxiē kè bù kǎoshì, zhǐ xiě bàogào. Nǐmen shénme shíhou kǎoshì?

Mǎlì： Míngtiān kāishǐ. Xiànzài wǒ měi tiān fùxí, kàn shū kàn de tóu téng, dōu kuài lèi sǐ le.

Zhāng Hóng：Shì a, wǒ yě shì. Jīntiān wǎnshang qù fàngsōng yí xià, zěnmeyàng?

Mǎlì： Hǎo ba. Tài jǐnzhāng le, xuéxí xiàoguǒ yě bù hǎo.

Zhāng Hóng：Duì ya. Huì xuéxí, yě yào huì xiūxi, duì ba?

Zhāng Hóng：Mǎlì, kǎoshì kǎo de zěnmeyàng?

Mǎlì： Bú tài hǎo, yǒu liǎng ge shēngcí wàng le zěnme xiě, hái yǒu yí dào tí méiyǒu zuò.

Zhāng Hóng：Shì ma? Wèi shénme?

Mǎlì： Shíjiān bú gòu le.

Zhāng Hóng：Nǎ dào tí nǐ méi zuò?

Mǎlì： Yuèdú. Hànzì tài nán le! Wǒ kàn Hànzì kàn de hěn màn, xiě Hànzì yě xiě de hěn màn.

Zhāng Hóng：Duì Ōuměi rén lái shuō, Hànzì quèshí yǒudiǎnr nán.

Mǎlì： Nǐ yǒu shénme jì Hànzì de hǎo fāngfǎ ma?

Zhāng Hóng：Wǒ yǒu yì běn gěi liúxuéshēng biānxiě de Hànzì gùshi shū, nǐ xiǎng kàn ma?

Mǎlì： Hǎo a, jiè gěi wǒ kànkan ba, yěxǔ yǒu bāngzhù.

Zhāng Hóng：Bié dānxīn, nǐ yídìng néng jiějué zhè ge wèntí.

New Words and Expressions 生词语

1. 星期	（名）	xīngqī	week
2. 门	（量）	mén	*a measure word*
3. 完	（动）	wán	finished; over
4. 有些	（代）	yǒuxiē	some

5. 报告	（名）	bàogào	report
6. 放松	（动）	fàngsōng	relax
7. 紧张	（形）	jǐnzhāng	stressful
8. 效果	（名）	xiàoguǒ	effect
9. 道	（量）	dào	*a measure word*
10. 题	（名）	tí	question
11. 为什么		wèi shénme	why
12. 够	（动）	gòu	enough
13. 阅读	（名）	yuèdú	reading
14. 汉字	（名）	Hànzì	Chinese character
15. 难	（形）	nán	difficult
16. 慢	（形）	màn	slow
17. 确实	（副）	quèshí	indeed
18. 记	（动）	jì	remember
19. 方法	（名）	fāngfǎ	way
20. 编	（动）	biān	edit; compile
21. 故事	（名）	gùshi	story
22. 借	（动）	jiè	borrow; lend
23. 也许	（副）	yěxǔ	maybe
24. 帮助	（名）	bāngzhù	help
25. 担心	（动）	dānxīn	worry
26. 解决	（动）	jiějué	solve

专有名词

欧美	Ōuměi	European and American

语言点 Grammatical Key Points

一　带"得"的状态补语（**Complements clarifying state or degree using "得"**）

如果宾语和程度补语同时出现，就得重复动词。(If an

object and the complement of degree appear together in one sentence，the verb should be repeated.)

例：

	V	O	V	得	complement
我	看	书	看	得	头疼
我	(看	汉字)	看	得	很慢
他	(洗	衣服)	洗	得	很快
他	(洗	衣服)	洗	得	很干净
她	(洗	衣服)	洗	得	出了很多汗

二 "对……来说"(For/According to...is...)

例：1. 对欧美人来说，汉字确实很难。

2. 对日本人来说，汉字不难。

3. 对我来说，饺子是最好吃的东西。

练习 Exercises

一 语音练习 (Pronunciation exercises)

Lí lí yuán shàng cǎo,　　　离离原上草，
Yí suì yì kū róng.　　　一岁一枯荣。
Yě huǒ shāo bú jìn,　　　野火烧不尽，
Chūn fēng chuī yòu shēng.　　　春风吹又生。

二 用适当的词语填空 (Fill in the blanks with suitable words to complete the phrases)

(一) 1. 一 (　) 课　　　2. 一 (　) 题

3. 一 (　) 酒　　　4. 一 (　) 面条

(二) 1. 借 (　)　　　2. 抓紧 (　)

3. 记 (　)　　　4. 解决 (　)

三　**选词填空**（Select the word that best fills in the blank）

完　少　慢　够　忘　难

1. 我知道的汉字太（　　）了。

2. 汉字太（　　）了，有什么记汉字的好办法？

3. 时间不（　　）了，快走吧。

4. 你的考试（　　）了吗？

5. 我（　　）了这个字的意思。

6. 你走得太（　　）了，要迟到了。

确实　头疼　难　帮助　方法　编　阅读

　　有些留学生觉得汉语（　　）极了，他们看见汉字就（　　），考试的时候，常常没有时间做（　　）题。为了（　　）留学生学习汉字，老师们（　　）了很多汉字故事书，介绍一些记汉字的好（　　）。汉字（　　）有点儿难，但是汉语不是最难的语言。

 四　**替换练习**（Substitution exercises）

我 <u>看汉字</u> <u>看</u>得很<u>慢</u>。

吃饭	吃	多
写字	写	好
骑车	骑	快
跳舞	跳	漂亮
唱歌	唱	好

 五　**组词成句**（Reorganize the groups of words to form sentences）

1. 有些 我们 不 课 考试 报告 写 只

   _____

2. 有 生词 个 两 写 怎么 忘 了

   _____

3. 我 一本 汉字 书 故事 留学生 编写 给 的 有

   _____

六 用"对……来说"回答问题（Answer the questions using "对……来说……"）

问题 \ 人物		
1. 打一小时太极拳累不累？		
2. 写汉字难不难？		
3. 做饭累不累？		
4. 八点起床早吗？		

七 回答问题（Answer the questions）

1. 你跳舞跳得怎么样？ _____
2. 你做饭做得怎么样？ _____
3. 你包饺子包得怎么样？ _____
4. 你们聊天聊得怎么样？ _____
5. 你学汉语学得怎么样？ _____
6. 周末（上个周末/这个周末/下个周末）你干什么？

_____

八 阅读（Reading）

第一次(dìyī cì)看电影

五岁的时候，我第一次和父母一起去看电影。对我来说，那是一件大事，因为姐姐早就可以看电影了。我不知道看电影是什么，大人让我去看，就觉得高兴极了。

到了电影院，我看见每个人都有一张票 (piào)，进去的时候要给电影院的人看一下。我向爸爸要票，可是他说："你不需要票就可以进去。"我觉得非常不公平 (gōngpíng)，为什么别人都有票？爸爸让我来看电影，可是为什么不给我票？我大声地哭了。爸爸没有办法，只好给我买了一张票。

回家以后，父母告诉我说小孩子不用买票，买票是要花钱的。五岁的我，不知道钱是什么，只知道自己应该和别人一样。

现在我已经长大了，是大学生了，可是过了这么多年，我还没忘这件事。

Additional Vocabulary 补充词语

1. 第一次		dìyī cì	the first time
2. 票	（名）	piào	ticket
3. 公平	（形）	gōngpíng	fair

 九　汉字练习（Chinese character exercises）

模仿书写下列汉字（**Write down the following words using the correct stroke sequence**）

第二十九课　我们已经买 好了票

Dì-èrshíjiǔ　kè　Wǒmen yǐjīng mǎi hǎo le piào

（在酒吧）

李　军：大卫,今天全部考完了吧?

大　卫：考了三天,终于考完了。

李　军：考得怎么样?

大　卫：别提了,考得糟糕极了。特别是声调和汉字,错得比较多。

李　军：你是谦虚吧? 平时我看你说得挺不错的。

大　卫：咳! 已经考完了,不想考试的事了。

李　军：你什么时候去旅行?

大　卫：星期日出发。

李　军：决定去哪儿了吗?

大　卫：决定了,去哈尔滨。

李　军：你们怎么去? 坐火车去吗?

大　卫：对,我们已经买好了票,不过只买到三张卧铺票,另外一张是硬座票。

李　军：你可以上车补卧铺票,可能还有卧铺。

大　卫：是吗? 那太好了。

李　军：这个星期六我们系里有一个联欢晚会,你能来吗?

大　卫：我们星期日下午出发,应该没问题。去参加中国学生的晚会,要准备什么东西?

李　军：不用准备。不过,也许会让你表演一个节目。

大　卫：这个……

Lǐ Jūn：　Dàwèi, jīntiān quánbù kǎo wán le ba?

Dàwèi：　Kǎo le sān tiān, zhōngyú kǎo wán le.

Lǐ Jūn：　Kǎo de zěnmeyàng?

Dàwèi： Bié tí le, kǎo de zāogāo jí le. Tèbié shì shēngdiào hé Hànzì, cuò de bǐjiào duō.

Lǐ Jūn： Nǐ shì qiānxū ba? Píngshí wǒ kàn nǐ shuō de tǐng búcuò de.

Dàwèi： Hāi, Yǐjing kǎo wán le, bù xiǎng kǎoshì de shì le.

Li Jun： Nǐ shénme shíhou qù lǚxíng?

Dàwèi： Xīngqīrì chūfā.

Lǐ Jūn： Juédìng qù nǎr le ma?

Dàwèi： Juédìng le, qù Hāěrbīn.

Lǐ Jūn： Nǐmen zěnme qù? Zuò huǒchē qù ma?

Dàwèi： Duì, wǒmen yǐjing mǎi hǎo le piào, búguò zhǐ mǎi dào sān zhāng wòpù piào, lìngwài yì zhāng shì yìngzuò piào.

Lǐ Jūn： Nǐ kěyǐ shàng chē bǔ wòpù piào, kěnéng hái yǒu wòpù.

Dàwèi： Shì ma? Nà tài hǎo le.

Lǐ Jūn： Zhè ge xīngqīliù wǒmen xì li yǒu yí ge liánhuān wǎnhuì, nǐ néng lái ma?

Dàwèi： Wǒmen xīngqīrì xiàwǔ chūfā, yīnggāi méi wèntí. Qù cānjiā Zhōngguó xuésheng de wǎnhuì, yào zhǔnbèi shénme dōngxi?

Lǐ Jūn： Bú yòng zhǔnbèi. Búguò, yěxǔ huì ràng nǐ biǎoyǎn yí ge jiémù.

Dàwèi： Zhè ge...

New Words and Expressions 生词语

1.	票	（名）	piào	ticket
2.	全部	（副）	quánbù	all
3.	终于	（副）	zhōngyú	after all
4.	提	（动）	tí	speak of
5.	糟糕	（形）	zāogāo	too bad
6.	声调	（名）	shēngdiào	tone
7.	错	（形）	cuò	wrong
8.	谦虚	（形）	qiānxū	modest
9.	咳	（叹）	hāi	*interjection word*
10.	火车	（名）	huǒchē	train
11.	张	（量）	zhāng	*a measure word*
12.	卧铺	（名）	wòpù	sleeping berth

13. 另外	（副）	lìngwài	another; additionally
14. 硬座	（名）	yìngzuò	hard seat
15. 上	（动）	shàng	get in
16. 补	（动）	bǔ	buy (ticket) after normal time; make up for
17. 联欢	（动）	liánhuān	get-together
18. 晚会	（名）	wǎnhuì	evening party; soiree
19. 表演	（动）	biǎoyǎn	perform
20. 节目	（名）	jiémù	program
21. 这个		zhè ge	well, *to indicate hesitation*

 语言点 Grammatical Key Points

一 结果补语（Consequential complements）

用在动词后，表示动作的结果。(Used after a verb, a consequential complement indicates the result of an action.)

否定式（Negative expression）：没+动词+结果补语 （没+verb+consequential complement)

例：

做补语的V/A	肯定式	否定式
完	考完了/做完了/吃完 / 喝完	没考完/没做完/没吃完 / 没喝完
好	做好了饭/包好了/收拾好	没做好饭 / 没包好 / 没收拾好
到	买到票 / 收到信	没买到票 / 没收到信
见	听见/看见	没听见/没看见
远	走远了/跑远了	没走远/没跑远
干净	洗干净 / 收拾干净	没洗干净 / 没收拾干净

二 "会"（2）（Will）

用于对将发生事情的推测。(Used for speculation of events that will occur.)

例：1. 我有一本给留学生编写的汉字故事书，借给你看看吧，也许会有帮助。

2. 明天会下雪吗？

3. 这么晚了，他可能不会来了。

练习 Exercises

一 **语音练习**（Pronunciation exercises）

Xiàng wǎn yì bú shì,	向晚意不适，
Qū chē dēng gǔ yuán.	驱车登古原。
Xī yáng wú xiàn hǎo,	夕阳无限好，
Zhǐ shì jìn huáng hūn.	只是近黄昏。

二 **选词填空**（Select the word that best fills in the blank）

糟糕　谦虚　不用　另外　终于

1. （　　），我忘了今天有考试！

2. 他是一个很（　　）的人。

3. 他买了一件衣服，（　　）还买了一束花。

4. 你（　　）去图书馆借书，上网也可以借书。

5. 看了两个星期，（　　）看完了这本书。

硬座　火车　票　卧铺

　　在中国，（　　）是比较重要的交通工具(gōngjù)。人们出去旅行常常坐火车。坐火车最便宜的是（　　），但是不太舒服。（　　）有两种：软卧(ruǎnwò)和硬卧(yìngwò)。软卧（　　）比较贵，硬卧不太贵，也比较舒服。

三 **替换练习**（Substitution exercises）

1. 我只 买 到了一 张 卧铺票 。
　　　　找　　　　本　书
　　　　看　　　　辆　自行车
　　　　取　　　　个　包裹

2. 我们已经 买 好了 票 。
　　　　　准备　　节目

买	礼物
做	晚饭
睡	觉

 四 组词成句 （Reorganize the groups of words to form sentences）

1. 我们 系里 联欢 晚会 有 周六 这个

_____

2. 参加 晚会 去 中国 的 学生 准备 东西 什么 要

_____

3. 也许 你 让 会 节目 表演 一个

_____

 五 辨析选择 （Differentiate between the following words, then select the word that best fills in the blank）

会　可以　应该　可能　就　准备

1. 不回家的话，你 （　　） 给妈妈打个电话。
2. 他 （　　） 病了，所以没有来上课。
3. 有八百块钱的话，你 （　　） 干什么？
4. 周末没事儿的话，你 （　　） 来我家玩儿。
5. 今天 （　　） （　　） 下雪，你多穿一点儿衣服吧。

 六 回答问题（Answer the questions）

1. 你吃完饭了吗？　_____
2. 你做完作业了吗？　_____
3. 你什么时候考完试？　_____
4. 你吃好了吗？　_____
5. 你坐好了吗？　_____
6. 你买到音乐磁带了吗？　_____
7. 你找到他的家了吗？　_____
8. 你看到朋友的信了吗？　_____
9. 我穿这么少的衣服，会感冒吗？　_____
10. 他有问题的话，你会帮助他吗？　_____

七　阅读（Reading）

你最好和小狗商量商量

英国作家 (zuòjiā) 萧伯纳 (Xiāobónà) 收到一封信，信中说："您是我最喜欢的作家。最近我得到 (dé dào) 了一条小狗，我打算用您的名字给它起名 (qǐ míng)，可以吗？"萧伯纳看了信以后，没有生气，写了一封回信："读了你的信，我觉得很有意思。你可以用我的名字，不过，你最好和你的小狗商量 (shāngliang) 商量，看它同意 (tóngyì) 不同意。"

Additional Vocabulary

补充词语

1.	工具	（名）	gōngjù	tool
2.	软卧	（名）	ruǎnwò	soft sleeping berth
3.	硬卧	（名）	yìngwò	hard sleeping berth
4.	作家	（名）	zuòjiā	writer
5.	萧伯纳		Xiāobónà	George Bernard Shaw, *a famous British writer*
6.	得到		dédào	get; receive
7.	起名		qǐ míng	give a name
8.	商量	（动）	shāngliang	discuss
9.	同意	（动）	tóngyì	agree

八 汉字练习（Chinese character exercises）

模仿书写下列汉字（Write down the following words using the correct stroke sequence）

（在大卫宿舍）

玛　丽：大卫,快要出发了,你准备好
　　　　行李了吗?

大　卫：我昨天收拾了半天,早就准备
　　　　好了。

玛　丽：那你整天在房间里干什么?

大　卫：今天我要参加一个中国学生
　　　　的联欢会, 正在准备表演的
　　　　节目呢。

玛　丽：你唱歌唱得那么好,还需要准备吗?

大　卫：我不想唱英文歌,我打算唱一首中文歌。

玛　丽：好极了。你打算唱流行歌曲吗?

大　卫：不,我想唱一首民歌。

玛　丽：民歌? 民歌很好听啊。

大　卫：我的发音不太好,他们能听懂吗?

玛　丽：如果是有名的民歌,他们一定很熟悉歌词,没问题吧?

大　卫：可是,我的发音太不标准的话,那多没面子啊。

玛　丽：我的同屋有中国民歌的 VCD,借来用用,也许会有帮助。

大　卫：谢谢。你今天有空儿吗? 一起去怎么样?

玛　丽：我还没准备好行李呢,不去了。

大　卫：你是怕表演节目吧?

玛　丽：是啊! 让你说中了。

Mǎlì:　　Dàwèi, kuàiyào chūfā le, nǐ zhǔnbèi hǎo xíngli le ma?

Dàwèi:　 Wǒ zuótiān shōushile bàn tiān, zǎo jiù zhǔnbèi hǎo le.

Mǎlì:　　Nà nǐ zhěngtiān zài fángjiān li gàn shénme?

Dàwèi:　 Jīntiān wǒ yào cānjiā yí ge Zhōngguó xuésheng de liánhuānhuì, zhèngzài zhǔnbèi biǎoyǎn de jiémù ne.

Mǎlì： Nǐ chànggē chàng de nàme hǎo, hái xūyào zhǔnbèi ma?

Dàwèi： Wǒ bù xiǎng chàng Yīngwén gē, wǒ dǎsuan chàng yì shǒu Zhōngwén gē.

Mǎlì： Hǎo jí le. Nǐ dǎsuan chàng liúxíng gēqǔ ma?

Dàwèi： Bù, wǒ xiǎng chàng yì shǒu míngē.

Mǎlì： Míngē? Míngē hěn hǎotīng a.

Dàwèi： Wǒ de fāyīn bú tài hǎo, tāmen néng tīng dǒng ma?

Mǎlì： Rúguǒ shì yǒumíng de míngē, tāmen yídìng hěn shúxi gēcí, méi wèntí ba?

Dàwèi： Kěshì, wǒ de fāyīn tài bù biāozhǔn dehuà, nà duō méi miànzi a.

Mǎlì： Wǒ de tóngwū yǒu Zhōngguó míngē de VCD, jiè lái yòngyong, yěxǔ huì yǒu bāngzhù.

Dàwèi： Xièxie. Nǐ Jīntiān yǒu kòngr ma? Yìqǐ qù zěnmeyàng?

Mǎlì： Wǒ hái méi zhǔnbèi hǎo xíngli ne, bú qù le.

Dàwèi： Nǐ shì pà biǎoyǎn jiémù ba?

Mǎlì： Shì a! Ràng nǐ shuō zhòng le.

New Words and Expressions 生词语

1.	联欢会	（名）	liánhuānhuì	get-together
2.	行李	（名）	xíngli	luggage
3.	收拾	（动）	shōushi	do up
4.	半天	（名）	bàntiān	half day
5.	整天	（名）	zhěngtiān	whole day
6.	歌	（名）	gē	song
7.	需要	（副）	xūyào	need
8.	英文	（名）	Yīngwén	English
9.	首	（量）	shǒu	*a measure word*
10.	流行	（形）	liúxíng	popular
11.	歌曲	（名）	gēqǔ	song
12.	民歌	（名）	míngē	folk song
13.	好听	（形）	hǎotīng	pleasant to hear
14.	发音	（名）	fāyīn	pronunciation
15.	懂	（动）	dǒng	understand

16. 如果	（连）	rúguǒ	if
17. 熟悉	（形）	shúxi	familiar
18. 歌词	（名）	gēcí	lyric
19. 标准	（形）	biāozhǔn	standard
20. 面子	（名）	miànzi	face
21. 怕	（动）	pà	be afraid of
22. 中	（动）	zhòng	be hit by

 语言点 Grammatical Key Points

"多……啊"(How...)

用于感叹。(Used for exclamation.)

例：1. 我的发音太不标准的话，那多丢面子啊!

2. 看，那儿的风景多漂亮啊!

3. 快考试了，学生们多紧张啊!

单元小结（六）

语言点	课文序号	例句
1. "要……了"/"快要……了"/"快……了"	26	快要考试了。/快放假了。
2. "只好"	26	车上很挤，只好骑自行车。
3. "可能"	26	下午可能要下雨。
4. "再"	26	下课以后再去邮局。
5. "……极了"	27	今天的天气冷极了。
6. "想"/"要"	27	我想去旅游。/太热了,我要去游泳。
7. 动量词	27	他去了一趟车站。
8. 带"得"的程度补语	28	我写汉字写得不好看。
9. "对……来说"	28	对日本人来说,汉字不太难。
10. 结果补语	29	我作业做完了。/饭做好了。
11. "会"(2)(Will)	29	明天会下雪吗?

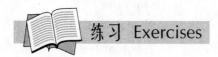

练习 Exercises

一 语音练习（Pronunciation exercises）

Jiāng nán hǎo,	江南好，
Fēng jǐng jiù céng ān?	风景旧曾谙？
Rì chū jiāng huā hóng shèng huǒ,	日出江花红胜火，
Chūn lái jiāng shuǐ lǜ rú lán,	春来江水绿如蓝，
Néng bù yì jiāng nán.	能不忆江南。

二 用适当的词语填空（Fill in the blanks with suitable words to complete the phrases）

1. 收拾（　　　） 2. 唱（　　　） 3. 标准的（　　　）

4. 表演（　　　） 5. 熟悉的（　　　） 6. 流行的（　　　）

三 选词填空（Select the word that best fills in the blank）

　整天　主意　半天　丢面子

1. 快考试了，我们（　　）复习功课，累死了。

2. 我等你（　　），你去哪儿了？

3. 送花给女生，她不要，真（　　）。

4. 我应该穿什么衣服去参加晚会？你有什么好（　　）？

　流行　歌词　歌曲　好听　有名

　　中国唱流行（　　）从70年代（niándài）开始。那时候，有一些很（　　）的（　　）歌手（gēshǒu）。他们唱的歌很（　　），（　　）也和以前的歌曲很不一样。现在流行歌曲非常多了，大部分人都很喜欢听。

四 组词成句（Reorganize the groups of words to form sentences）

1. 我 参加 联欢会 中国 的 学生 一个 明天 要

2. 我 没 准备 行李 还 呢 好

_____

3. 你 中 说 了 让

_____

五 **仿写句子** （Imitate the model sentence in composing sentences of your own）

例：DVD 有意思极了， 我 整整 看了两个小时，看 得 眼睛疼。

→考试 难极了，我 整整 做了两个小时，做 得 头疼。

1. 快要 考试了，我们都 应该 努力复习功课。

→_____

2. 速冻饺子吃 完了 ，妈妈 让 我去买。

→_____

3. 我喝酒喝 得 太多了，难受得想吐。

→_____

六 **用指定词语或格式回答问题** （Answer the questions using the patterns or word provided）

1. 你上午干什么了？　　　　（V+了+时量+的+O）

_____

2. 你为什么买这么多东西？　（快要/要……了）

_____

3. 你觉得他的英文怎么样？　（极了）

_____

4. 你能和我一起去逛商店吗？（让）

_____

5. 你用一个小时能写完信吗？（写完）

_____

6. 他唱中文歌唱得怎么样？　（唱得……）

_____

七 看图说句子（用"多……啊"）（Look at the drawings and make sentences（using "多……啊"））

八 阅读（Reading）

大卫的假期

　　大卫的考试已经都考完了，他考得糟糕极了。对他来说汉字太难了，他看得很慢，写得也很慢，所以考试的时候有两道题还没做完。但是，他已经不想考试的事儿了，现在他正在练习唱中国民歌，因为他要参加一个中国学生的联欢会，他希望自己的发音能标准一点儿。放假以后，大卫打算和朋友一起去哈尔滨旅行，火车票已经买好了。

回答问题（Answer the questions）

　　1. 大卫为什么考试考得不好？

　　2. 大卫现在很不高兴吗？

　　3. 大卫假期有什么打算？

Additional Vocabulary

补充词语

1. 年代	（名）	niándài		age; years
2. 歌手	（名）	gēshǒu		singer

九 汉字练习（Chinese character exercises）

模仿书写下列汉字（Write down the following words using the correct stroke sequence）

课文译文

Lesson 1 Hello!

(At the entrance)

David：Hi!

Li Jun：Hello!

David：Are you the teacher?

Li Jun：No, I'm not the teacher. I'm a student. She's the teacher.

David：Thank you.

Li Jun：You're welcome.

(In the office)

David：How do you do, teacher!

Teacher Wang：Hello! Are you a foreign student?

David：Yes, I'm a foreign student.

Teacher Wang：What's your name?

David：My name's David.

Lesson 2 What Country Are You From?

(In the classroom)

Liu Ming：Hello students!

Students：Hello professor!

Liu Ming：Let me make a short introduction. My surname is Liu, and I'm called Liu Ming. I am a professor at Dongfang University. What is your name?

David：My name is David and I am a foreign student at Dongfang University.

Liu Ming：What is your nationality?

David：I'm an American.

(On the road)

David：Let me make a brief introduction. Her name is Mary and his name is Li Jun.

Mary：It's a pleasure to meet you.

Li Jun: I'm happy to meet you as well. Are you also American?

Mary: No, I'm not American. I'm Canadian, and you?

Li Jun: I'm Chinese.

Lesson 3   Is That Your Book?

(In the dormitory)

David: Mary, whose book is that? Is it your book?

Mary: No, it's my roommate's book.

David: Is it a Chinese textbook?

Mary: No, it's (a) *Chinese-Japanese Dictionary*.

David: What dictionary?

Mary: A *Chinese-Japanese Dictionary*. It's a dictionary of Chinese words explained in Japanese.

(In the dormitory)

Mary: What kind of tape is this?

Zhongcun: It's a tape of music.

Mary: Is it Japanese music?

Zhongcun: No, it's Chinese music.

Mary: Is this your tape?

Zhongcun: No, it's my friend's tape.

Lesson 4   Where Is the Library?

(On a road on campus)

Mary: Excuse me, friend. Could you please tell me where the library is?

Student A: I'm sorry, but I'm not a student here, so I wouldn't know.

Mary: It's OK.

(In front of a teaching building)

Mary: Excuse me, friend. Is this the library?

Student B: No, it's not. This is a teaching building. The library is over there, to the north of the dormitory building.

Mary: Is it the building on the left?

Student B: No, it's the building on the right.

Mary: Thank you.

Student B: You're welcome.

Lesson 5 To the West of Dongfang University

(At the meeting spot)

Mary: Hello! What is your name?

Zhang Hong: My name's Zhang Hong, and you?

Mary: My name's Mary and I am a foreign student attending Dongfang University. My field of studies is international relations. What about you?

Zhang Hong: I'm a graduate student at Zhonghua University and my field of studies is contemporary literature.

Mary: Where is Zhonghua University?

Zhang Hong: It's west of Dongfang University. When you have time, you're welcome to come and visit!

(Outside the meeting spot)

David: Excuse me, can you please tell me where the bathroom is?

Student: (It's) Over there, next to the classroom.

David: The classroom on the east?

Student: Correct.

Lesson 6 What Time Is It Now?

(In the dormitory)

Mary: Zhongcun, what time do universities in Japan usually have class in the morning?

Zhongcun: Usually, most of them have class at eight-fifty, but for our school it's nine.

Mary: What time do you get out of class?

Zhongcun: Half past ten.

Mary: At Dongfang University, we have class at eight in the morning, which is far too early.

(In front of the cafeteria)

Mary: David, what time does the movie start?

David: Half past six.

Mary: What time is it now?

David: A quarter to six.

Mary: Thanks. See you later.

Lesson 7   Do You Have Class Tomorrow?

(In the dormitory)

Mary: Zhongcun, do you have class tomorrow?

Zhongcun: I don't have any classes in the morning, but in the afternoon I do.

Mary: You have a bicycle, right?

Zhongcun: Yes, anything the matter?

Mary: I have class tomorrow morning at eight, but I don't have a bicycle ...

Zhongcun: OK, no problem. This is the key for the bicycle, which is in the bicycle shed downstairs.

Mary: Is it the bicycle shed behind the dormitory building?

Zhongcun: Right.

(In the classroom)

David: Mary, do you have time tonight?

Mary: Yes, what's up?

David: The movie theater on campus is showing a good movie.   Would you like to go?

Mary: What movie?

David: I don't know the name of it,   but I heard it's a very prominent picture.

Mary: Then of course I'll go.

Lesson 8   What Is Your Phone Number?

(On the phone)

Zhang Hong: Mary, are you free this weekend?

Mary: Yes, what's up?

Zhang Hong: Why don't you come visit my school?

Mary: OK, but how do I get there?

Zhang Hong: Route 21 and Route 106 both stop there.   It doesn't take long by bike either, only fifteen minutes.

Mary： Where is your dormitory?

Zhang Hong： It's on the southeast side of campus, East Building No.5.

Mary： What's your room number?

Zhang Hong： Number 502. My dormitory is East Building No.5, room number 502.

Mary： What's your phone number?

Zhang Hong： 63861023. Do you have a cell phone?

Mary： No, I don't but my friend does.

Zhang Hong： What's the number?

Mary： 13695670132.

Zhang Hong： OK, I'll be waiting for you.

Lesson 9 How Much Is It Per Bottle?

(In a store)

David： Excuse me sir, I'd like to buy beer.

Salesperson： How many bottles do you want?

David： How much money is it per bottle?

Salesperson： Three-fifty.

David： I'll buy two bottles, and I'd also like to buy a bottle of soda.

Salesperson： Seven kuai for the two bottles of beer and the two-fifty for the bottle of soda comes to a total of nine-fifty.

David： Here's the money.

(In a bookstore)

Mary： Excuse me, Miss, but do you have an English-Chinese Dictionary in stock?

Salesperson： Yes, we do. As you can see for yourself, these are all it. Which book would you like?

Mary： I would like that small one. How much money is it?

Salesperson： Twenty-two kuai.

Mary： Sorry, I don't have any small change.

Salesperson： It's quite all right.

Lesson 10 How Many People Are There in Your Family?

(In the dormitory)

Mary: Is this your picture?

Zhang Hong: Yes, it's a picture of my family.

Mary: How many people are there in your family?

Zhang Hong: There are five people in my family: my grandfather, my grandmother, my father, my mother and I.

Mary: You don't have any elder brothers or sisters?

Zhang Hong: No, I don't. Chinese families usually only have one child nowadays. Mary, how many people are there in your family?

Mary: My family consists of my father, my mother, an elder brother, a younger brother, a younger sister, as well as a dog.

Zhang Hong: A total of six people?

Mary: No, seven.

Zhang Hong: Your father, your mother, your older and younger brothers, your younger sister, and you. That makes six, doesn't it?

Mary: Wrong, there's also the dog.

Zhang Hong: Oh, I see.

Lesson 11 Wintertime in Beijing Is Rather Cold

(In the dormitory)

Mary: What's the weather like today?

Zhongcun: Not too good. It's windy and it'll rain in the afternoon.

Mary: Is it cold (outside)?

Zhongcun: Not really cold, it's about twenty degrees (outside).

Mary: What about tomorrow?

Zhongcun: Tomorrow's going to be sunny.

(In the classroom)

David: Professor, how's the weather in Beijing during the autumn season?

Liu Ming: It's neither hot nor cold. It's very comfortable. (I think) It's the best season.

David: What about winter? I heard that winters in Beijing are exceptionally cold. Is that true?

Liu Ming： Yes, the winters in Beijing are rather cold, the coldest reaching around fifteen degrees below zero.

David： Does it snow often?

Liu Ming： No, it doesn't snow often. David, what season do you like best?

David： I like summer. I like swimming. And you, professor?

Liu Ming： I like spring.

Lesson 12　What Are You Doing?

(On the phone)

David： Hello!

Mary： Hey David. It's me, Mary.

David： Oh, Mary! Hello.

Mary： David, what are you doing?

David： At the moment, doing my homework.

Mary： Really? Do you have a lot of homework everyday?

David： Not really. Today's Wednesday so I had class from eight in the morning till twelve noon, altogether making it four periods of class. On top of that, I've got a dictation quiz tomorrow, and that's why I have so much homework. What about you, what are you doing?

Mary： I'm drinking coffee at a bar.

David： Which bar?

Mary： The one across from the bookstore on campus.

David： Are you by yourself?

Mary： No, there's also my roommate and her friend. They're singing Karaoke at the moment.

David： You guys don't have class tomorrow?

Mary： We do so. We'll be returning to the dormitory at ten.

Lesson 13　I'm Going to the Post Office to Pick Up a Package

(On the road)

Li Jun： Hello David, where are you going?

David： I'm going to the post office to pick up a package. What about you?

Li Jun: I'm going to buy some things at the store first, and then I'm going to the library to send out some E-mail.

David: I need to send out some E-mail as well, so let's go together.

Li Jun: Aren't you going to the post office though?

David: The post office closes at six so it won't be a problem.

(In the canteen)

Mary: Zhongcun, tomorrow's Sunday. What are you planning to do?

Zhongcun: I intend on going to the store to buy some things.

Mary: The store on campus?

Zhongcun: No, I'm going to go to the Shopping Plaza.

Mary: Are things there expensive?

Zhongcun: So-so. They have a great variety of things, and the quality's not bad either.

Mary: I was just thinking to go shopping for (some) clothes. What do you say to going together?

Zhongcun: OK.

Mary: What time are we going to go?

Zhongcun: The Shopping Plaza opens at nine in the morning, so let's go at ten.

Lesson 14   I Prefer Pastel Colored Ones

(In the Shopping Plaza)

Mary: Zhongcun, look, what do you think about that white sweater?

Zhongcun: It looks pretty nice, but whites get dirty easily. What about that blue one?

Mary: The blue one's a bit dark. I prefer pastel colored ones.

Zhongcun: What about that yellow one?

Mary: Not bad, it's rather pretty. I'll take it.

(In the campus)

David: Mary, is this your bicycle?

Mary: Yes, I (just) bought it yesterday. What do you think?

David: It's quite lovely. It's not a new bike, right?

Mary: Yes, I bought a used one. Used ones are cheaper and are harder to lose.

David: Do they have it in other colors?

Mary: Yes, there are black and blue ones, as well as gray and yellow ones. Which color would you like?

David: I like green ones.

Lesson 15 Tomorrow Is My Friend's Birthday

(In the dormitory)

Mary: Zhongcun, you have been busy from right after dinner up until now? What have been busy about?

Zhongcun: I'm preparing a present.

Mary: Preparing a present?

Zhongcun: That's right. Tomorrow is my friend's birthday and I want to make a birthday cake for her.

Mary: You're making it yourself?

Zhongcun: That's right, making the cake by myself makes it all the more special.

(At the store)

Li Jun: David, tell me, what would make a good birthday present?

David: Who do you plan on giving it to?(Is it) a male or (is it) a female?

Li Jun: A female.

David: Then there are countless things that you could possibly give her. How about chocolates?

Li Jun: She doesn't really like sweets.

David: What about clothes?

Li Jun: I don't know her clothing size, and I don't know what colors she likes.

David: Then why don't you give her a bouquet of flowers? All girls like flowers.

Li Jun: That's not a bad idea.

Lesson 16 What Do You Do on the Weekends?

(In the classroom)

David: Tomorrow's the start of another weekend, I'm so happy.

Classmate: It sounds like you really love the weekends.

David: Of course I love them. You can completely enjoy yourself on the weekends. Don't you like them?

Classmate: I don't like them. I'm always bored during the weekends.

David: What do you (usually) do on the weekends?

Classmate: I'm usually in my dormitory studying, doing laundry, watching TV, doing homework, sleeping or the like.

David: Really? You don't go out to have fun with your friends?

Classmate: Sometimes I go shopping around with friends. What do you usually do during your weekends?

David: My plans for the weekend vary from week to week. I spent last weekend making dumplings at a friend's house, and the weekend before, I went dancing at a discotheque ...

Classmate: What are you going to do this weekend?

David: I am going to attend a music concert. What do you say to going together?

Classmate: Sure, that sounds great!

Lesson 17 Being a Guest(1)

(At the home of Professor Liu)

Professor Liu: Please, come in.

David: Professor, your home sure is clean.

Professor Liu: Is that so? Thank you. Come and sit down here.

David: This is a present for you.

Professor Liu: Wow, thank you. You guys are too kind.

David: This is just a token of our regard. Please accept it.

Professor Liu: Thank you. What would you (guys) like to drink, tea or fruit juice?

David: It doesn't matter to me, anything's fine.

Mary: I'll drink tea.

Professor Liu: Was it a smooth trip?

Mary: Not too smooth. It was a bit crowded on the bus.

Professor Liu: Do you guys prefer taking the bus or hailing a cab?

David: I like taking the public bus. The air-conditioned buses are very comfortable.

Mary： I like taking the subway.

Professor Liu：Are you hungary?　What do you think about　(us)　eating dumplings for lunch?

David： It's great. My favorite food just happens to be dumplings!

Professor Liu：Do you (guys) know how to make dumplings?

Mary： Not so good. Let's have a try.

Lesson 18　Being a Guest(2)

(At the home of Professor Liu)

David： Professor Liu, today's dumplings are incredibly delicious.

Mary： I agree. They taste incredibly good! Do all Chinese people like to eat dumplings?

Professor Liu：Most Northerners are fond of eating dumplings.　They usually make dumplings when celebrating birthdays, during holidays, or when having guests over.

David： Southerners don't eat dumplings then?

Professor Liu：Not that often.　Southerners prefer eating rice and are not too fond of eating wheaten foods.

Mary： I see!　Then to Northerners, dumplings must be a very important part of the menu, right?

Professor Liu：Yes, but it's rather troublesome to make dumplings, especially when there are not so many people availabe.

Mary： Yes, it will cost much time even just preparing the stuffing.

David： But don't they have frozen dumplings available in super markets? If you had a sudden craving for them,　all you'd have to do is go buy a bag.

Professor Liu：You really know how to be lazy.　But when everyone makes dumplings together, it becomes exciting and pretty interesting.

David： Do frozen dumplings taste good?

Professor Liu：They don't taste too bad.

Lesson 19　I've Become Accustomed to It Now

(In the classroom)

Professor Liu: David, how long have you been in Beijing?

David: About half a year already.

Professor Liu: You've (already) become accustomed to the life in Beijing then.

David: When I first came, I wasn't used to it. But I'm used to it now.

Professor Liu: Are you accustomed to having class at eight in the morning?

David: I'm quite ashamed to say that I'm not used to having class so early. In America, I'm usually just getting out of bed at eight in the morning.

Professor Liu: Really? What time do you sleep at night now?

David: Not at regular hours. I usually sleep at twelve, and sometimes at two o'clock. But if I have class at eight in the morning, then (I sleep) earlier.

Professor Liu: Early to bed and early to rise is beneficial to a person. When I was a student, I loved to sleep in. After I started working, I changed this bad habit.

David: Really? How old were you at that time?

Professor Liu: Approximately twenty-three or so.

Lesson 20 Visiting a Sick Person

(At the hospital)

David: Mary, how are you? Are you feeling a little bit better now?

Mary: A bit better. Thanking you for coming to see me.

David: You're welcome! You must be feeling pretty comfortable without any classes or homework, right?

Mary: Not (comfortable) at all! It's unbelievably boring to eat by myself, sleep by myself, and to play by myself.

David: What do you do every day then?

Mary: I do some reading, I listen to the music, sleep, have a dream ...

David: You're so lucky. Every day, I have to memorize new vocabulary, do homework, have dictation, take tests ... I'm tired out of my mind.

Mary: Well, how about we do a switch? You come live at the hospital, and I'll go back to class.

David: OK, but you have to ask the doctor for permission first. Oh yeah, what would you like to eat for lunch, rice with stir-fried vegetables, noodles, or dumplings?

Mary: McDonald's! I'd like to eat McDonald's for lunch.

David: You are not in good health now. Let's eat dumplings, OK?

Lesson 21 He Caught a Cold

(In the classroom)

Mary: Professor, David can't make it to class today.

Professor Liu: Why? What is the matter with him?

Mary: He caught a cold. He's also coming down with a fever and coughing.

Professor Liu: How did he catch a cold?

Mary: The day before yesterday, he went to watch a soccer match and it was raining on the way back. He hadn't brought an umbrella with him and that's how he caught the cold.

Professor Liu: Did he go see a doctor yet?

Mary: Yes, he's seen a doctor. The doctor prescri bed for him and said it's best if he rests for a day. This is his written request for a leave of absence.

Professor Liu: OK, I know now. Thank you.

Written Request for Leave of Absence

Professor:

Hello. I'm very regretful to say that I won't be able to make it to class today. I've caught a cold with a fever and coughing and feel very bad. Please allow me one day of absence.

David
2003/11/15

Lesson 22 I Drank Half a Jin of White Spirit

(In David's Dormitory)

Mary: David, how could you still be sleeping? You missed class again today.

David: I know and I'm ashamed. Was the professor angry?

Mary: It didn't seem that way. Your complexion doesn't look too great. Did you stay up all night again?

David: No, but I drank half a jin of wine spirit, and have a bad headache...

Mary: Half a jin? Are you crazy?

David: I'm not crazy. I am drunk. And I also vomitted.

Mary: Why did you drink that much (spirits)?

David: Yesterday, I went to the home of a Chinese friend, and he was very hospitable and wouldn't stop pouring me spirits.

Mary: Some Chinese people, when entertaining guests in their home, love to urge their guests to drink. You didn't know?

David: Now I know. Upon my word, now I am very thirsty. Can you please pour me a cup of water?

Mary: OK. You still seem rather sleepy. Why don't you go back to sleep?

Lesson 23 How Long Have You Been Studying Chinese?

(At the entrance of a park)

Mary: I'm sorry I'm late.

Zhang Hong: It's OK. Was there a lot of traffic on the way (here)?

Mary: No, there wasn't. The tire of the vehicle I was on blew.

Zhang Hong: Is that so? What lousy luck. How long did it take them to replace the tire?

Mary: The tire took about half an hour to replace. It usually takes only an hour to get here but today it took an hour and a half. Did you wait very long?

Zhang Hong: Roughly forty minutes or so.

Marry: You must have been anxious, right? Sorry.

(By a lake)

Mary: The essay you wrote in English is marvelous.

Zhang Hong: Really? Thank you, but my spoken English is still lacking.

Mary: I think it's already pretty good.　How long have you studied English for?

Zhang Hong: I've already studied it for ten years starting in junior high school.

Mary: Ten years?　That long?

Zhang Hong: Yes, my grammar is OK, so is some simple translation, but I was never really great at spoken English.　How long have you studied Chinese for?

Mary: I've studied it for half a year.

Zhang Hong: Are you still going to be studying in Beijing next semester?

Mary: Of course!　I plan on studying in China for two years!

Lesson 24　Come to Meet Me After You've Eaten Breakfast

(In Zhang Hong's dormitory)

Li Jun: Hey, Zhang Hong, it's me.

Zhang Hong: Li Jun!　Have you eaten yet?

Li Jun: Not yet.　I just came back from basketball.　I want to buy some dumplings in the dinning hall. Will you go?

Zhang Hong: No. Today is Little Mei's twenty-third birthday.　The people in our dormitory are having a get-together.

Li Jun: Really. Say my regards to her then.

Zhang Hong: We cooked a lot of delicious things. I've already had a bowl of noodles, as well as a glass of (grape) wine.　Now, I'm eating icecream. Come and join us.

Li Jun: Forget it. It's you girls' night. Why would I go? Do you have other plans tonight as well?

Zhang Hong: We plan on going to sing Karaoke together.

Li Jun: Go and have a good time and come back early and not too late.

Zhang Hong: OK, got it. Tomorrow's the start of another weekend.　Where are we going to go (to have fun)?

Li Jun: There's a pretty good exhibition in the art gallery,　why don't we go see the exhibition?

Zhang Hong: OK, I agree.　Come to meet me after you've eaten breakfast, OK?

Li Jun: OK. I'll meet you at the gate of your dormitory at half past eight
o'clock tomorrow.

Zhang Hong: OK. What are you going to do tonight?

Li Jun: Chat with friends on the net. See you tomorrow.

Zhang Hong: See you tomorrow.

Lesson 25 You Should Exercise More Often

(In the dormitory)

Mary: Good night, Zhongcun.

Zhongcun: You're going to sleep this early? (You're) Not going to watch
the soap opera?

Mary: No, I'm not going to watch it, I've got Taiji classes tomorrow
morning and need to get up a bit earlier.

Zhongcun: You study Taiji too? That's great because I signed up for it as
well.

Mary: You like Taiji too?

Zhongcun: Yes. When I first came to China, I took half a year of Taiji but
I've forgotten all of it by now. That's why I want to study it
again.

Mary: Then let's go and start together tomorrow. Do you have an alarm
clock?

Zhongcun: Yes, I'll wake you up tomorrow morning.

Mary: Why don't you stop studying and sleep a bit early.

(In the playground)

Zhongcun: The morning air is so fresh!

Mary: It sure is! I still want to go jogging at the lake side. Do you
want to come?

Zhongcun: I'm not going to go. After an hour of Taiji, I'm a bit worn out
and I've got no strength left.

Mary: You sweated a lot. It seems to me that you should exercise more
often.

Zhongcun: You're right. You must be in great health. You're not tired at
all?

Mary: Not really. (That's probably because) I go jogging every day.

Zhongcun: Really? How come I didn't know about this?

Mary: Usually when I go jogging, you're still sleeping.

Zhongcun: I'm so embarrassed! How long do you jog for each day?

Mary: I jog for about half an hour.

Zhongcun: From now on, I think I'm going to take a walk every day after I eat dinner ...

Lesson 26 Exams Are Coming Up

(In the classroom doorway)

David: Where did you go today? I called you but you weren't there.

Mary: I went to the library. I stayed there the whole afternoon reading books.

David: You're quite the diligent one.

Mary: Exams are coming up and since my basics aren't that great, the only thing I can do is study really hard. Is there something you need?

David: It's almost time for vacation and we're planning to go traveling. Would you like to come (together) with us?

Mary: Where do you guys plan to go?

David: (We) Haven't made a decision yet, perhaps the Northeast.

Mary: Approximately when will you leave?

David: Maybe next weekend.

Mary: OK, I'll think about it.

(In the dormitory)

Mary: Zhongcun, what are you doing now?

Zhongcun: I'm writing a letter to a friend. Christmas is just around the corner with New Year's right behind it, so I have to send out greeting cards to my friends.

Mary: You've written so many!

Zhongcun: I've got no other choice. I've got too many relatives and friends. I've been writing for a whole two hours!

Mary: There are a lot of people at the post office right now. You should go later (to send out your mail).

Zhongcun: Really? How did you know that?

Mary: I just went to the post office to buy some stamps and envelopes, and I had to wait in line for about half an hour.

Zhongcun: Then OK, I'll go later.

Lesson 27 My Parents Want Me to Go Back

(At a café)

Li Jun: It's almost time for vacation. Do you have any plans?

David: I'm planning to go traveling. I stayed in Beijing throughout the entire half year that I've been in China, and I'd like to see some other places.

Li Jun: Where do you plan on traveling to?

David: I haven't made a decision yet. My friend wants to go to Harbin.

Li Jun: Harbin? I've heard that it gets extremely cold there in the winter.

David: But I've heard that the vistas in Harbin during the wintertime are exceptionally beautiful, so I'd like to go see (for myself). How are you going to spend your vacation?

Li Jun: I intend to stay on campus and brush up on my lessons.

David: Brush up on your lessons? Are you that industrious?

Li Jun: It's almost graduation time and I want to try for post-graduate. That's why I have to do some extra studying and make the best use of my time.

David: Really? Which post-graduate program are you planning on taking the exam for?

Li Jun: I'm very interested in ancient Chinese history, so I'm thinking to take Professor Zhang Dapeng's program.

David: That's really great! I'm sure you'll pass the test. Then you're not going home for Chinese New Year?

Li Jun: I'm probably going to have to go back for a few days since my parents want me to go back. But I'm still contemplating this issue.

David: Going back to see your parents is something you should do anyhow. They must really miss you.

Li Jun: Yes, I should set aside some time to go back and pay them a visit.

Lesson 28　How Was the Exam

(At the library entrance)

Mary：　Zhang Hong, when do your exams start?

Zhang Hong：They've already begun.　I took exams for two of my courses last week and after one more this week, I'll be completely done.

Mary：　You only have exams for three courses, that few?

Zhang Hong：Some classes don't have exams, but require a written report. When do you have exams?

Mary：　It starts tomorrow.　I've been studying every day now.　I've been reading so much that my head hurts and I'm just about tired to death.

Zhang Hong：Yes, I am too.　Let's relax tonight, what do you say?

Mary：　OK.　Too much tension isn't that great for the efficiency of my studies anyway.

Zhang Hong：Definitely.　You should know when to study and when to rest, right?

(At the entrance of the teaching building)

Zhang Hong：Mary, how was the exam?

Mary：　Not that great.　I forgot how to write two of the new words and I also skipped a question.

Zhang Hong：Really? Why?

Mary：　I didn't have enough time.

Zhang Hong：Which question didn't you do?

Mary：　The reading comprehension. The Chinese characters were too difficult. I'm very slow at reading Chinese, as well as slow at writing it.

Zhang Hong：　To Europeans and Americans,　Chinese characters are truly rather difficult (to grasp).

Mary：　Do you know any techniques for memorizing Chinese characters?

Zhang Hong：　I have a Chinese storybook that's been edited for foreign students. Would you like to take a look?

Mary：　OK,　let me borrow it and have a look and maybe it can help me some.

Zhang Hong：Don't worry.　I'm sure you'll solve this problem.

Lesson 29   We've Already Bought the Tickets

(At a bar)

Li Jun: David, you've finished the last of all your exams today, right?

David: Three days of examinations and I'm finally all done with the testing.

Li Jun: How were the exams?

David: Forget it, I did exceptionally bad, especially the tone and characters, where I made quite a few mistakes.

Li Jun: You're being too modest! It seems that you speak rather well.

David: Hi, testing is over. Let's not talk about exams.

Li Jun: So when are you going traveling?

David: I'm heading out this Sunday.

Li Jun: Have you decided where to go?

David: Yes, I've decided. I'm going to go to Harbin.

Li Jun: How are you guys getting there, by train?

David: Yes, we've already bought the tickets, but could only get three tickets with berth accommodations. The other ticket we got was for a regular hard seat.

Li Jun: You might be able to buy a berth ticket after you get on the train. They may still have berths available.

David: Really, that's great.

Li Jun: This Saturday my department's having an evening get-together. Can you make it?

David: We'll be departing Sunday afternoon, so it shouldn't be much of a problem. What do I need to prepare when participating in Chinese student soirees?

Li Jun: You don't need to prepare anything, but they might want you to perform an act.

David: Umm ...

Lesson 30   I'm Going to Participate in a Chinese Students' Party

(In David's dormitory)

Mary: David, it's almost time to set out for our travels, have you finished packing your luggage?

David: I was packing for hours yesterday, I've been prepared for quite some time now.

Mary: Then what do you do in your room the whole day?

David: Well today, I'm going to participate in a Chinese students'party. Right now I'm practicing the act that I'm going to be performing.

Mary: Your singing is amazing as it is, what more is there to prepare?

David: I don't want to sing any English songs, so I'm planning on singing a Chinese one.

Mary: That's splendid! Are you planning on singing a pop song?

David: No, I plan on singing a folk song

Mary: A folk song? They're quite pleasing to listen to.

David: My pronunciation's rather lacking though. Will they be able to understand me?

Mary: If it's a well-known folk song, I'm sure they'll be very familiar with the lyrics. No problem, right?

David: But if my pronunciation isn't that accurate, I'll be so embarrassed.

Mary: My roommate's got a Chinese folk song VCD, why don't you go borrow it to use. Perhaps it'll be of some help.

David: Thank you. Do you have time today? Why don't we go together?

Mary: I still haven't finished packing, so I don't think I'm going to go.

David: Are you sure it's not because you don't want to have to perform?

Mary: Darn, you guessed it!

词 汇 表

　　词语的排列以汉语拼音的字母为序。词语后面的数字为生词出现的课数。词语前有△号的为《汉语水平词汇与汉字等级大纲》中的甲级词，有〇号的为乙级词，◇号的为丙级词，★号的为丁级词。

A					
△啊	12	à	ah; oh	あっ、あれっ	아(승낙,명백)
〇哎呀	17	āiyā	interjection	驚いたり、以外に思った時に発する言葉	야!,아야!,아이쿠!
△安排	16	ānpái	arrangement	合理よく手配する、配置する	안배하다,배치하다
熬夜	22	áo yè	stay up late	徹夜、徹夜する	밤샘하다,철야하다
B					
△八	6	bā	eight	数字の8	여덟,8
△爸爸	10	bàba	father	父親	아빠,아버지
△吧	7	ba	*a particle placed at the end of a sentence to indicate a suggestion, request or order*	文末につけて相談、提案、要求、命令の意味を表す	구말에쓰임(제의,청구,추측,동의,승낙등등)
△白	14	bái	white	白色	흰색,희다
★白酒	22	báijiǔ	white spirit	蒸留酒の総称	배갈,백주
班	25	bān	class; team	クラス、組	반.조.그룹
△办法	26	bànfǎ	method	方法	방법,수단
△半	6	bàn	half	半分	2분의1,반,절반
△半天	30	bàntiān	half day	長時間、半日	한나절,한참동안
〇帮	22	bāng	help	手伝う、助ける	돕다
△帮助	28	bāngzhù	help	手伝う、助ける	돕다
◇棒	25	bàng	very good	とても良い、素晴らしい	뛰어나다,훌륭하다,좋다
〇包	16	bāo	make; wrap up	包む	싸다,싸매다,봉지
★包裹	13	bāoguǒ	package	郵便の小包み	포장(하다)
〇报告	28	bàogào	report	報告、報告する	보고(하다)진술(하다)
〇报名	25	bào míng	register	応募する、申し込む、志願する	신청하다,지원하다
△杯	22	bēi	glass; cup	コップ	잔
△北边	4	běibian	the north	北の方、北側	북쪽
〇北方	18	běifāng	northern part of the China	北方地区、北の方	북방
背	20	bèi	recite; memorize	背中、暗記する、背く	업다,지다,짐

△本	9	běn	*a measure word*	書物やノート類、こちらの、自分の方の	근본, 기초 양사; ~권
△比较	11	bǐjiào	quite; rather	比較的に	비교(하다)
○比如	15	bǐrú	for example	例えば	예를들면
△比赛	21	bǐsài	match	試合、試合する	시합(하다)
○毕业	27	bìyè	graduate	卒業、卒業する	졸업(하다)
○编	28	biān	edit; compile	編集、編集する	엮다, 편집하다
○标准	30	biāozhǔn	standard	標準	표준
△表演	29	biǎoyǎn	perform	出演、演ずる、実演する	연출하다, 연기하다
△别	20	bié	do not	～するな、～してはいけない	~하지마라
△别的	14	biéde	another	もう一つの、別の	다른것, 딴것
别客气	20	bié kèqi	It is OK.	遠慮せずに	어렵게생각하지마라 (친분의표시)
★冰激凌	24	bīngjīlíng	icecream	アイスクリーム	아이스크림
△病	21	bìng	become sick	病気、病気になる	병
○病人	20	bìngrén	patient	病人	환자
△不错	13	búcuò	good; not bad	素晴らしい	좋다, 괜찮다, 맞다
○不过	8	búguò	but	しかし、けれど	그러나
不客气	1	bú kèqi	You are welcome.	どういたしまして	천만에요
不太	11	bú tài	not so	そんなには、それほどでも～	그다지~하지않다
△不用	4	bú yòng	need not	不必要	~할필요가없다
不用谢	4	bú yòng xiè	You are welcome.	どういたしまして	천만에요
△不	1	bù	no; not	いいえ、～ではない	부정을표시할때쓰임
○不好意思	19	bù hǎoyìsi	a bit ashamed of	恥ずかしい、ごめんなさい	부끄럽다, 쑥스럽다
◇不停	22	bù tíng	continuously	(ある動作が)止まらない	끊임없이
△不同	16	bùtóng	different	違った	다르다
○补	29	bǔ	buy (ticket) after normal time; make up for	補充する、補足する	보수하다, 보충하다, 보양하다
△部分	6	bùfen	part	部分	부분
C					
△才	19	cái	not until	やっと、ようやく	~에야, 비로소
△菜	20	cài	vegetable; dish	野菜、おかず	채소, 반찬
△参加	25	cānjiā	attend	参加、参加する	참가하다
△茶	17	chá	tea	お茶	차
△差	6	chà	short of	差、違い、劣っている	모자라다, 뒤떨어지다
○差不多	11	chà bu duō	almost; nearly	ほとんど同じ	비슷하다, 거의

△长	19	cháng	long	長い	길다
△常	11	cháng	often; usually	しばしば、たびたび	자주, 보통의
△常常	11	chángcháng	often; usually	しばしば、たびたび	자주
△唱	12	chàng	sing	歌う	노래하다
超市	18	chāoshì	supermarket	スーパーマーケット	슈퍼마켓
◇炒	20	chǎo	stir-fry	炒め、炒める	볶다
△车	7	chē	bicycle; car; vehicle	車、車両	차, 자전거
车棚	7	chēpéng	bicycle shed	車庫	자전거보관소, 소형의 차고
△吃	17	chī	eat	食べる	먹다
△迟到	23	chídào	be late for	遅刻、遅刻する	늦다
○重新	25	chóngxīn	over again	また最初から、一から	다시. 재차, 새로이
△出	25	chū	out	でる	나가다(나오다)
△出发	26	chūfā	start off	出発、出発する	출발하다
△出去	16	chūqu	go out	出て行く	나가다
◇初中	23	chūzhōng	junior high school	中学校	중학. 고등학교
○春节	27	Chūn Jié	Spring Festival	旧正月	음력설
△春天	11	chūntiān	spring	季節の春	봄
△词典	3	cídiǎn	dictionary	辞書	사전
△磁带	3	cídài	tape	カセットテープ	테이프
△从	12	cóng	from...	～から	~부터
△错	29	cuò	wrong	間違い、間違う	틀리다
D					
△打	17	dǎ	get; to do	(ある動作を)する	(어떤동작이나행동을) 하다
打	25	dǎ	play	たたく	(놀이, 운동을)하다
打车	17	dǎ chē	hailing a cab	タクシーに乗る	택시를잡다(타다)
△打算	13	dǎsuan	be going to do; intend	～する予定、するつもり	~하려고한다, ~할작정 이다
△大	19	dà	old	大きい	크다
大部分	6	dà bùfen	greater part	ほとんどの、大部分の	대부분
△大概	19	dàgài	about	おそらく、おおかた	대략, 대강
△大家	18	dàjiā	all; every body	みんな	모두
△大学	6	dàxué	university	大学	대학
○呆	27	dāi	stay	ぼんやりする	머무르다
△带	21	dài	bring	携帯する、持つ、持っていく	지니다, 휴대하다
○袋	18	dài	pack; bag	袋	자루, 주머니
○担心	28	dān xīn	worry	心配する	걱정하다
○蛋糕	15	dàngāo	cake	ケーキ	케잌
△当然	7	dāngrán	of course; certainly	当然だ、もちろん、当たり前だ	당연하다, 당연히

◇倒霉	23	dǎo méi	be down on one's luck	ついてない、運が悪い	재수없다
△到	8	dào	arrive	着く、到着する	도착하다, 다다르다
倒	22	dào	pour	倒れる、(事業などが)つぶれる	넘어지다, 뒤집히다
△道	28	dào	*a measure word*	道	길, 도로
△地	22	de	*particle*	〜の (動詞、形容詞の修飾語をつくる)	동사를 수식할때동사 앞에씀
△的	2	de	*auxiliary word indicating structure*	〜の (接続詞、助詞、感嘆詞以外の語や句の後について名詞の修飾語をつくる)	〜의
○…的话	18	…dehuà	if…then	〜ならば、〜と言うこととならば	만약~다면
△得	20	děi	have to	〜しなければならない	~해야만한다
△等	8	děng	to wait	待つ	기다리다
迪厅	16	dítīng	discotheque	ディスコ、クラブ	디스코텍
△地方	27	dìfang	place	場所	곳, 장소, 지방
★地铁	17	dìtiě	subway	地下鉄	지하철
△弟弟	10	dìdi	younger brother	弟	남동생
△点	6	diǎn	o'clock; hour	〜時	~시, 점
△点钟	19	diǎnzhōng	o'clock	時計	~시정각
△电话	8	diànhuà	telephone; phone	電話	전화
△电视	16	diànshì	TV; television	テレビ	텔레비젼, TV
电视剧	25	diànshìjù	drama; soap opera	テレビドラマ	드라마
△电影	6	diànyǐng	film; movie	映画	영화
○电影院	7	diànyǐngyuàn	cinema	映画館	영화관
△丢	14	diū	lost	失くす	잃어버리다
△东	8	dōng	east	東	동쪽
△东边	5	dōngbian	the east	東の方	동쪽, 동쪽방향
○东南	8	dōngnán	the southeast	東南	동남방향
△东西	13	dōngxi	thing	東西	물건
△冬天	11	dōngtiān	winter	冬	겨울
△懂	30	dǒng	understand	分かる、理解する	이해하다
△都	8	dōu	all	全部、すべて	모두, 전부, 다
○堵	23	dǔ	stop up; block up	詰まる	밀리다, 막히다
堵车	23	dǔ chē	traffic jam	渋滞、渋滞する	차가막히다
○度	11	dù	degree	度数	~도(양사)
△锻炼	25	duànliàn	take exercise	鍛錬、鍛える	단련하다
△对	5	duì	right	合っている	맞다
△对不起	4	duìbuqǐ	sorry	ごめんなさい	미안하다, 죄송하다

◇对…来说	18	duì...lái shuō	for(sb.)	～の方面から言うと	~입장에서말하자면
◇对了	20	duì le	by the way	ところで	그렇다,맞다
○对面	12	duìmiàn	across	対面する	맞은편
△多（形）	12	duō	a lot of; many	たくさん、多くの	많다
△多（副）	19	duō	how	（疑問文に用いて程度を問う）どれだけ、どれほど	얼마나
△多少	8	duōshao	how many; how much	（数量を問う）いくら、どれほど	(수량의)많고적음
E					
△饿	17	è	hungry	餓える	배고프다
△二	9	èr	two	二	둘,2
F					
△发	13	fā	send	配る、起こる	보내다
△发烧	21	fāshāo	have a fever	発熱する	열이나다
发音	30	fāyīn	pronunciation	発音	발음(하다)
△翻译	23	fānyì	translation	通訳、通訳する	번역하다
△饭	22	fàn	food; dish	ごはん	밥,끼니
△方法	28	fāngfǎ	way	方法	방법,수단
△方面	27	fāngmiàn	aspect	～方面	방면,방향
△房间	8	fángjiān	room	部屋	방
△放假	26	fàng jià	have a holiday	長い休みにはいる	방학
◇放松	28	fàngsōng	relax	リラックスする	느슨히하다
○放心	24	fàng xīn	rest assured	安心する	마음을놓다,안심하다
△分	6	fēn	minute	～分（時間）	~분,나누다
△分钟	8	fēnzhōng	minute	分（時間）	~분경,~분
△风	11	fēng	wind	風	바람
○风景	27	fēngjǐng	scenery	風景	풍경
◇疯	22	fēng	crazy	狂う	미치다
△复习	27	fùxí	review; brush up	復習、復習する	복습
G					
△改	19	gǎi	change	（物事を）変える	바꾸다
△干净	17	gānjìng	clean	清潔である	깨끗하다
△干	12	gàn	to do	～する	~하다
△感冒	21	gǎnmào	catch a cold	風邪、風邪をひく	감기(에걸리다)
○感兴趣	27	gǎn xìngqù	be interested in	興味をもつ	흥미있다
△刚	19	gāng	just	ついさっき	막,방금
△刚才	26	gāngcái	just now	さっき	막,방금
△高兴	2	gāoxìng	glad; happy	嬉しい	즐겁다
△哥哥	10	gēge	elder brother	兄	형
△歌	30	gē	song	歌	노래
歌词	30	gēcí	lyric	歌詞	가사

◇歌曲	30	gēqǔ	song	曲	가곡
△个	10	gè	*a measure word*	〜個	~개
△给	9	gěi	give	あたえる	주다
△工作	19	gōngzuò	work	仕事	직업,일
△公共汽车	8	gōnggòng qìchē	bus	公共バス	버스
◇功课	27	gōngkè	assignment	授業、成績	학과목,학습
○狗	10	gǒu	dog	犬	개
购物	13	gòu wù	shopping	買い物、買い物する	물건을사다
购物中心	13	gòuwù zhōngxīn	Shopping Plaza	ショッピングプラザ	쇼핑센터
△够	28	gòu	enough	十分、足りる	충분하다
○古代	27	gǔdài	ancient	古代	고대
△故事	28	gùshi	story	お話、物語	이야기,스토리
△关	13	guān	close	閉める	닫다
关门	13	guān mén	close; shut the door	(店、ドアなどを) 閉める	문을닫다
△关系	5	guānxi	relation; relationship	関係	관계있다,관계
○逛	16	guàng	go (shopping)	(町など) をブラブラする	쇼핑하다
△贵	13	guì	expensive	(値段が) 高い	비싸다
△国	2	guó	country	国	국가
○国际	5	guójì	international	国際	국제적인
果汁儿	17	guǒzhīr	juice	果実ジュース	주스
△过	16	guò	spend	(時などを) 過ごす	가다,건너다,지내다
过节	18	guò jié	celebrate a festival	祝日を祝う	명절을지내다
H					
◇咳	29	hāi	*interjection word*	悲しみや驚きを表す声、ええっ等	아이참,허,하,아이구
△还	10	hái	also; yet	やはり	아직
还可以	13	hái kěyǐ	so-so	まあまあ	그저그렇다
△还是	15	háishi	or	または	아니면,역시
△孩子	10	háizi	child; children	子供	어린이
○汗	25	hàn	sweat	汗	땀
△汉语	3	Hànyǔ	Chinese	中国語	중국어
△汉字	28	Hànzì	Chinese character	漢字	한자
△好	1	hǎo	good; fine	良い	좋다
△好吃	18	hǎochī	delicious	(食べ物等が) おいしい	맛있다
○好好儿	16	hǎohāor	to one's heart content; all out	ちゃんとしている、ぴんぴんしている	충분히
△好看	14	hǎokàn	nice; good-looking	(見た目が) 綺麗、良い	보기좋다
○好听	30	hǎotīng	pleasant to hear	聞き心地が良い	듣기좋다

△好像	22	hǎoxiàng	it seems	まるで〜のようだ	마치~과같다
△号	8	hào	number	番号	번호,표시,이름
△号	15	hào	size	サイズ、等級を表す	싸이즈
○号码	8	hàomǎ	number	番号	번호
△喝	12	hē	drink	飲む	마시다
△和	8	hé	and	〜と	그리고
贺卡	26	hèkǎ	post card	年賀状	축하카드
△黑	14	hēi	black	黒色	검다,검은
△很	2	hěn	very	とても	아주,매우,대단히
△后边	7	hòubian	behind; at the back	後方、後ろの方	뒷부분,뒤
△湖	25	hú	lake	池	호수
△花	15	huā	flower	花	꽃
△花	18	huā	spend; cost	使う、消費する	쓰다,사용하다
△坏	23	huài	ruin	悪い、良くない	망가지다
△欢迎	5	huānyíng	welcome	歓迎、歓迎する	환영하다
△换	20	huàn	exchange	交換する	바꾸다
△黄	14	huáng	yellow	黄色	노란색
○灰	14	huī	gray	灰色	회색
△回	12	huí	come back; return	帰る、戻る	돌아오다(가다)
△回来	21	huílai	come back	もどる、帰ってくる	돌아오다
△会	17	huì	can	できる	할수있다
△火车	29	huǒchē	train	電車、汽車	기차
		J			
△基础	26	jīchǔ	base; foundation	基礎	기초,기본
△…极了	27	…jí le	extremely	とても、実に	매우,극히
△几	6	jǐ	how many	いくつかの〜	몇
△挤	17	jǐ	crowded	(人や物が)ぎっしり詰まる	붐비다,빽빽이들어차다
△记	28	jì	remember	記憶する	기억하다
○季节	11	jìjié	season	季節	계절
△继续	22	jìxù	continue	持続、持続する	계속하다
△寄	26	jì	send	郵送する、預ける	붙이다,보내다
△家	10	jiā	family	家、家庭	집
△家庭	10	jiātíng	family	家庭	가정
◇假期	26	jiàqī	holiday	休暇	휴일
△简单	23	jiǎndān	simple	簡単、やさしい、手軽	간단하다
△见	6	jiàn	see; meet	見る、合う	보다,만나다
△见面	24	jiàn miàn	meet	顔を合わせる	만나다
△件	14	jiàn	*a measure word*	量詞(衣類、事件、事柄等にもちいる)	~건(양사)
△饺子	16	jiǎozi	dumpling	餃子	만두

△叫	1	jiào	call	呼ぶ、叫ぶ	부르다
△教室	5	jiàoshì	classroom	教室	교실
○教授	27	jiàoshòu	professor	教授	교수
○教学	4	jiàoxué	teaching	教学	교학
△节（量）	12	jié	period, *a measure word*	量詞(いくつかの区切りに分けるものを数える)	절기(양사) ~교시(양사)
△节（名）	18	jié	festival	記念日、節句等	휴일
△节目	29	jiémù	program	(TV等)番組	프로그램
△姐姐	10	jiějie	elder sister	姉	언니
△解决	28	jiějué	solve	解決、解決する	해결하다
△介绍	2	jièshào	introduce	紹介、紹介する	소개하다
△借	28	jiè	borrow; lend	借りる	빌리다
△斤	22	jīn	*a measure word*	量詞(グラム)	~근(양사)
△今天	7	jīntiān	today	今日	오늘
△紧张	28	jǐnzhāng	strain	緊張、緊張する	긴장하다
劲儿	25	jìnr	strength	力、意気込み	의기,의욕,사기,힘
△九	6	jiǔ	nine	9	아홉,9
△酒	22	jiǔ	wine; spirits	酒	술
酒吧	12	jiǔbā	bar	居酒屋、バー	술집
△旧	14	jiù	old	旧い	낡은,오래된
△就是	3	jiù shì	it means	すなわち	바로~이다
★聚会	24	jùhuì	have a get-together	集まる、集まり	모임
△决定	26	juédìng	decide	決定、決定する	결정하다
△觉得	16	juéde	think; feel	～だと思う	~라고느끼다,~라고생각하다
K					
△咖啡	12	kāfēi	coffee	コーヒー	커피
卡拉OK	12	kǎlā-OK	Karaoke	カラオケ	가라오케
△开	13	kāi	open	開ける	열다
开	21	kāi	write out	作成する、書いて渡す	널리퍼지다
开门	13	kāi mén	open; open the door	ドアを開ける	문을열다
△开始	6	kāishǐ	begin; start	開始、開始する	시작하다
△看	9	kàn	look; see	見る、眺める	보다
看	20	kàn	visit	訪問、訪問する	방문하다
看	23	kàn	in one's point of view	観察、観察する	~라고보다,생각하다
△看病	21	kàn bìng	see a doctor	診察する、してもらう	진찰하다,치료하다
★看起来	16	kànqilai	it seems	見た目	보아하니,보기에
△考	27	kǎo	take an examination	(試験などを)受ける	시험치다,보다

○考虑	26	kǎolǜ	think	考慮、考慮する	고려하다, 생각해보다
考上	27	kǎoshàng	pass the exam	(試験などに) 受かる	(시험에)합격하다
△考试	20	kǎoshì	exam; test	テスト、考査	시험
△咳嗽	21	késou	cough	せき、せきをする	기침
△可	15	kě	worth; can; possible	～できる、～してよい	허가하다, ~할만하다
△可能	26	kěnéng	may	可能である、見込みがある	가능하다, 아마도
△可是	7	kěshì	but	しかし	그러나
◇可惜	20	kěxī	It is a pity.	惜しい	애석하다, 아쉽다
△可以	16	kěyǐ	may	～できる、～してもよい	~할수있다, ~해도좋다
△渴	22	kě	thirsty	喉が渇いている	목마르다
△刻	6	kè	a quarter	１５分間	15분
△客气	17	kèqi	courteous	遠慮、謙遜する	정중하다, 예의가바르다
○客人	18	kèrén	guest	お客さん	손님
△课	7	kè	class	授業	과
△课本	3	kèběn	textbook	教科書	교과서
△空气	25	kōngqì	air	空気	공기
○空儿	5	kòngr	free time	空いている	여가시간, 짬
空调大巴	17	kōngtiáo dàbā	air-conditioned bus	エアコン	냉난방버스
△口	10	kǒu	*a measure word*	(家庭、村などの) 人数、人口を数える	~명(양사)
△口语	23	kǒuyǔ	oral	会話	구어
△块	9	kuài	*yuan, the basic unit of money in China*	中国のお金の単位	원(중국화폐단위)
△快	8	kuài	fast	速い	빠른
○快乐	24	kuàilè	happy	愉快である	즐겁다, 행복하다
快…了	26	kuài...le	is going to	ほどなく、まもなく～だ	곧~할것이다
○快要…了	26	kuàiyào...le	is going to	もうすぐ、じきに～だ	머지않아~하다
○困	22	kùn	sleepy	眠い	졸리다
L					
△啦	16	la	*tone particle*	たらたら、だらだら	어조사
△来	2	lái	come	来る	오다
△蓝	14	lán	blue	青色	파란
△老师	1	lǎoshī	teacher	先生	선생님
△了	19	le	*tone particle*	すでに起きた動作に用いる	완성, 변화의 어조사
△累	20	lèi	tired	疲れる	피곤하다
△冷	11	lěng	cold	寒い、冷たい	춥다

△礼物	15	lǐwù	gift	プレゼント、贈り物	선물
△里	7	lǐ	in	～の中、内部	안, 안쪽
△历史	27	lìshǐ	history	歴史	역사
○联欢	29	liánhuān	get-together	交歓、交歓する	함께모여즐기다
联欢会	30	liánhuānhuì	get-together	交歓会、親睦会	친목회
◇脸色	22	liǎnsè	look; complexion	顔の色	혈색
△两	9	liǎng	two	2	두(양)
○两（量）	24	liǎng	ounce, *a measure word*	重さの単位	양사(보통37g 에해당)
△辆	14	liàng	*a measure word*	車、自転車などを数える量詞	~대(양사)
○聊天儿	24	liáotiānr	chat	おしゃべりする	잡담을하다
○零钱	9	língqián	small change	小銭	잔돈
零下	11	língxià	below zero	零下	영하
○另外	29	lìngwài	another; additionally	別の、もう一つの	예외, 그밖의
△留学生	1	liúxuéshēng	foreign student	留学生	유학생
◇流行	30	liúxíng	popular	流行	유행하다
△六	6	liù	six	6	여섯, 6
△楼	4	lóu	building	ビル	건물
路（量）	8	lù	route, *a measure word*	量詞	(양사)노선, 종류
○路上	17	lùshang	on the way	道中、途中	도중
△旅行	26	lǚxíng	travel	旅行、旅行する	여행
△绿	14	lǜ	green	緑色	녹색
轮胎	23	lúntāi	tyre	タイヤ	타이어
M					
△妈妈	10	māma	mother	お母さん、母親	엄마, 어머니
△麻烦	18	máfan	troublesome	めんどくさい	성가시다, 번거롭다
△吗	1	ma	*an interrogative particle*	（文末について疑問を表す）、～か?	의문문뒤에붙는조사
△买	9	mǎi	buy	買う	사다
△慢	28	màn	slow	（時間、速度が)遅い	느리다
△忙	15	máng	busy	忙しい	바쁘다
△毛	9	máo	*mao, a fractional unit of money in China*	お金の単位	(중국화폐의단위)1원의 10분의1
○毛病	19	máobìng	bad habit	故障、悪い癖、問題	흠, 나쁜버릇
○毛衣	14	máoyī	sweater	毛糸素材の服、ニット	스웨터
△没关系	4	méi guānxi	It doesn't matter./ That's all right.	かまわない、かまいません	문제없다, 괜찮다, 상관없다
没问题	7	méi wèntí	no problem	問題ない	문제없다
△没意思	16	méiyìsi	uninteresting; boring	面白くない	재미없다, 지루하다
△没有	7	méiyǒu	have not	持っていない、ない	없다

△每	12	měi	every	毎回	매,각,~마다(모두)
○美	27	měi	beautiful	美、美しさ	아름다운
美术馆	24	měishùguǎn	art gallery	美術館	미술관
△妹妹	10	mèimei	younger sister	妹	여동생
△门	28	mén	*a measure word*	種	과목의단위(양사) ~과목
△门口	24	ménkǒu	gate	入り口	문(출입구)
(同学)们	2	(tóngxué)men	*a marker denoting plurality*	(人称の名詞の後につけて)複数を表す	동창,학우
△米饭	18	mǐfàn	cooked rice	ご飯、白米	쌀밥
面食	18	miànshí	pasta; wheaten food	麺類の食べ物	밀가루음식,분식
△面条	20	miàntiáo	noodle	ラーメン、ヌードル	국수
面子	30	miànzi	face	メンツ、対面、義理	면목,체면,얼굴
民歌	30	mínge	folk song	民族の歌、曲	민가,민요
△名字	1	míngzi	name	名前	이름
△明天	7	míngtiān	tomorrow	明日	내일
N					
△哪	2	nǎ	which	何処(疑問詞)	어느,어떤,어디
△哪儿	4	nǎr	where	何処(疑問詞)	어디
△那	3	nà	that	あれ	그것,저것
△那么	15	nàme	then	それでは	그러면
△那儿	4	nàr	there	あそこ	거기
○奶奶	10	nǎinai	grandmother	祖母、お婆ちゃん	친할머니
△男	15	nán	male	男	남자
○南方	18	nánfāng	sounthern part of the Chins	南の方、南方地区	남쪽,남방
△难	28	nán	difficult	難しい	어려운
闹钟	25	nàozhōng	alarm clock	目覚まし時計	자명종시계
△呢	2	ne	*a modal particle*	(疑問文の文末において)答えの催促を表す	조사;의문의어기
△能	21	néng	can; be able to	できる	할수있다,가능하다
△你	1	nǐ	you	あなた、おまえ	너
△年	19	nián	year	年	년
△您	1	nín	you	貴方	당신(존칭)
△努力	26	nǔlì	deligent	努力、努力する	열심히
△女	15	nǔ	female	女	여자
女生	24	nǔshēng	school girl	女学生	여학생
P					
△怕	30	pà	be afraid of	～かもしれない	무서워하다,두려워하다
★排队	26	pái duì	stand in a line	列を作る、列に並ぶ	줄을서다

△旁边	5	pángbiān	side	傍ら、そば	옆쪽에
△跑	25	pǎo	run	走る、かける	달리다, 뛰다
△跑步	25	pǎo bù	run	走る	달리기
△朋友	3	péngyou	friend	友達	친구
○批准	21	pīzhǔn	ratify; approve	許可する、同意する	비준하다, 허가하다
△啤酒	9	píjiǔ	beer	ビール	맥주
△便宜	14	piányi	cheap	(値段が)安い	싸다
△票	29	piào	ticket	券	표, 티켓
△漂亮	14	piàoliang	pretty; beautiful	綺麗、美しい	예쁘다, 아름답다
○平时	23	píngshí	usually	いつも、いつもは	평소, 여느때
△瓶	9	píng	bottle, *a measure word*	瓶、びん	~병(양사)
△破	23	pò	break	破る、破れる	찢어지다, 찢다, 가르다, 쪼개다
葡萄酒	24	pútáojiǔ	wine	ワイン	포도주
			Q		
△七	9	qī	seven	7	일곱, 7
△骑	8	qí	ride	(自転車、バイク等に)乗る	~타다
△起	25	qǐ	get up	起きる、目覚める	일어나다
△起床	19	qǐ chuáng	get up	起きる、目覚める	일어나다
△汽水儿	9	qìshuǐr	soft drink; soda water	サイダー水	탄산음료
◇谦虚	29	qiānxū	modest	謙虚、謙虚な	겸손하다
○前天	21	qiántiān	the day before yesterday	一昨日	그저께
△钱	9	qián	money	お金	돈
△浅	14	qiǎn	pastel; light	(深さ、色等が)浅い	얕은
巧克力	15	qiǎokèlì	chocolate	チョコレート	초콜릿
○亲戚	26	qīnqi	relative	親戚	친척
◇晴天	11	qíngtiān	sunny day	晴れの日	맑게 갠 하늘
△请假	21	qǐng jià	ask for a leave	休みを請う	휴가를 받다
请假条	21	qǐngjiàtiáo	written request for leave	休暇願い	휴가원, 결석계, 결근계
请进	17	qǐng jìn	Come in, please.	入室を許可する	들어오세요
○请客	22	qǐng kè	feast	奢る	한턱내다
△请问	4	qǐng wèn	excuse me	すいません(たずねる)	잠깐 여쭙겠습니다
△秋天	11	qiūtiān	autumn	秋(季節)	가을
△球	24	qiú	ball	玉、ボール	공
△去	5	qù	go	行く	가다
○取	13	qǔ	to pick up	取る	찾다, 가지
△全部	29	quánbù	all	全部、全部の	전부
○劝	22	quàn(jiǔ)	urge sb. to (drink more at a banquet)	人に勧める	권하다, 타이르다

△确实	28	quèshí	indeed	確実である、信頼できる	확실하다
R					
△然后	13	ránhòu	then	その後	연후에, 그러한후에
△让	27	ràng	let	(人等に)～させる	~하게하다, 양보하다
△热	11	rè	hot	熱い	덥다
△热情	22	rèqíng	hospitable	熱情	열정
○热闹	18	rè'nao	exciting	人気がある	번화하다, 벅적벅적하다
△人	2	rén	people; person	人、一般の人	사람
△认识	2	rènshi	meet; know	知っている、知り合いである	알다
△日	21	rì	date	日にち	일
△日语	3	Rìyǔ	Japanese	日本語	일본어
△容易	14	róngyì	easy; easily	簡単である	쉽다
○如果	30	rúguǒ	if	もし～ならば	만약
S					
△三	9	sān	three	3	셋, 3
○伞	21	sǎn	umbrella	傘、とくに雨傘	우산
△散步	25	sàn bù	go out for a walk	散歩、散歩する	산책하다
△商店	13	shāngdiàn	store	お店	상점
上	16	shàng	last	上、～に達する	동사뒤보어역할
△上（名）	17	shàng	on	～の上	위
△上（动）	29	shàng	get in	上がる、前に進む	나가다, 등장하다
△上课	6	shàng kè	go to class	授業にでる	수업을하다
上网	24	shàng wǎng	access the internet; be on line	インターネット、インターネットする	인터넷에접속하다
△上午	7	shàngwǔ	morning; forenoon	午前中	오전
△少	18	shǎo	few; less	少ない	적다
△身体	20	shēntǐ	body	体、身体	몸, 신체
△深	14	shēn	dark	(色の濃度等が)濃い	깊다
△什么	1	shénme	what	何(疑問詞)	무엇
△生词	20	shēngcí	new words	単語	새단어
△生活	19	shēnghuó	life	生活、生活する	생활하다
○生气	22	shēng qì	be angry	怒る、腹をたてる	화가나다
△生日	15	shēngrì	birthday	誕生日	생일
△声调	29	shēngdiào	tone	声調	성조
◇圣诞节	26	Shèngdàn Jié	Christmas	クリスマス	크리스마스, 성탄절
△师傅	9	shīfu	master in trad	一般人に対する相称、とくに男性に用いる	스승, 사부 숙련공 선생

△十	6	shí	ten	10	열, 10
△十五	8	shíwǔ	fifteen	15	15
△时候	5	shíhou	time; moment	～の時	시간, 동안 때
△时间	7	shíjiān	time	時間	시간
○食品	18	shípǐn	food	食品、食べ物	식품
△食堂	24	shítáng	dinning hall	食堂	식당
△事	7	shì	thing	出来事、事	일
△试	17	shì	try	試す	시도하다
△是	1	shì	to be	～だ、である、です	~이다
○室	8	shì	room	部屋	방
△收	17	shōu	accept	収める、獲得する、得る	받아들이다
△收拾	30	shōushi	do up	片付ける	거두다, 치우다
收下	17	shōuxià	accept	得る、手に入れる	받다, 받아두다
手机	8	shǒujī	cell phone	携帯電話	핸드폰
○首	30	shǒu	*a measure word*	（曲などに用いる）量詞	~수(양사)
△书	3	shū	book	本	책
△书店	12	shūdiàn	bookstore	本屋	서점
△舒服	11	shūfu	comfortable	心地が良い	편안하다
○熟悉	30	shúxi	familiar	（人や土地等を）よく知っている	숙지하다, 익히알다
◇束	15	shù	a bouquet of	（花等に用いる）量詞	묶다, 동이다 묶음, 다발
△谁	3	shuí	who	誰(疑問詞)	누구
△水	22	shuǐ	water	水	물
△睡	19	shuì	go to sleep	寝る、睡眠をとる	(잠을)자다
△睡觉	20	shuì jiào	sleep	寝る、睡眠をとる	잠을자다
睡懒觉	16	shuì lǎnjiào	get up late; sleep in	寝過ごす、寝坊する	늦잠을자다
○顺利	17	shùnlì	smoothly	（物事が）順調にいく	순조롭다
△说	15	shuō	to say	喋る、言う	말하다
△死	20	sǐ	dead	死ぬ、死	죽다
△四	12	sì	four	4	넷,4
△送	15	sòng	give; give as a present	送る	주다
速冻	18	sùdòng	quick-frozen	急速冷凍する	급속냉동(하다)
△宿舍	4	sùshè	dormitory	（学校などの）宿舎、寮	숙사, 기숙사
○算了	24	suàn le	let it be	やめにする、よす	그만두다, 개의하지않다, 됐다
○随便	17	suíbiàn	Anything is OK.	かってである、随意である	마음대로
△岁	19	suì	years old	年、年齢	~살
△所以	12	suǒyǐ	so; therefore	したがって、だから	그래서

			T		
△他	2	tā	he; him	彼	그
△它	14	tā	it	その物、それ	그(물건)
△她	1	tā	she; her	彼女	그녀
太极拳	25	tàijíquán	*Taiji*	太極拳	태극권
太…了	6	tài...le	too	とても〜だ	매우~하다
○趟	27	tàng	*a measure word*	(往復する動作を数える)量詞	차례,번(양사)
△特别	15	tèbié	special	特別の、とりわけ	특별하다
△疼	22	téng	ache	痛い、痛む	아프다
△提	29	tí	speak of	話題にする、提起する	제기하다
○题	28	tí	question	問題	문제
△天	12	tiān	day	日	하루,하늘
△天气	11	tiānqì	weather	天気	날씨
○甜	15	tián	sweet	(味等が)甘い	달다
△条	10	tiáo	*a measure word*	(棒状の物を数える)量詞	가늘고긴것의(양사)
△跳舞	16	tiào wǔ	dance	ダンス、踊る	춤을추다
△听	16	tīng	listen	聞く	듣다
△听说	7	tīngshuō	hear of	聞くところによると	듣기로는
△听写	12	tīngxiě	dictation quiz	書き取りのテスト	받아쓰기
△挺	14	tǐng	very	とても	매우,아주,극히
○同屋	3	tóngwū	roommate	ルームメイト	룸메이트
△同学	2	tóngxué	school mate	クラスメート	학우
偷懒	18	tōu lǎn	be lazy; loaf on the job	怠ける、油を売る	게으름피우다,꾀부리다
△头	22	tóu	head	頭	머리
△图书馆	4	túshūguǎn	library	図書館	도서관
○吐	22	tù	vomit	吐く、吐き出す	토하다,내뱉다
			W		
△完	28	wán	finished; over	終わる、終わりにする	끝나다
△玩儿	5	wánr	to play	遊ぶ	놀다
△晚	24	wǎn	late	(時間等が)晚い	늦은
晚安	25	wǎn ān	Good night.	おやすみなさい	안녕히주무세요
△晚饭	15	wǎnfàn	supper; dinner	夕飯	저녁식사
△晚会	29	wǎnhuì	evening party; soiree	夜会、夜に行う集まり(主にお酒を楽しむ)	이브닝파티,야회
△晚上	7	wǎnshang	evening	夕方、夜、晚	저녁
△碗	24	wǎn	bowl, *a measure word*	碗、茶碗	~그릇(양사)
△忘	25	wàng	forget	(物事を)忘れる	잊어버리다
○卫生间	5	wèishēngjiān	toilet; WC	トイレ、お手洗い	화장실

△为什么	28	wèi shénme	why	なぜ、どうして(疑問詞)	왜
△味道	18	wèidào	taste	(食べ物等の)味	맛
喂	12	wèi	hello	もしもし(電話の応対)	여보세요
△文学	5	wénxué	literature	文学	문학
△问	20	wèn	ask	たずねる、聞く	묻다
△问题	27	wèntí	problem	問題	문제
△我	1	wǒ	I; me	私	나
△我们	6	wǒmen	we	私たち	우리
卧铺	29	wòpù	sleeping berth	(列車の)寝台	(기차나여객선따위의)침대
★无聊	20	wúliáo	uninteresting; boring	退屈、退屈である	심심하다,지루하다
五十	6	wǔshí	fifty	５０	오십,50
X					
△西边	5	xībian	the west	西の方、西側	서쪽
△希望	21	xīwàng	hope; wish	希望、希望する	희망하다
△习惯	19	xíguàn	be accustomed to; habit	習慣、習慣になる	습관
△洗	16	xǐ	wash	洗う	씻다
△喜欢	11	xǐhuan	like	好き、好みである	좋아하다
△系	5	xì	department	系統、一続きの関係をなす物を表す	계열,계통
△下（动)	11	xià	fall	下りる、下がる	떨어지다
下	23	xià	next	次の	다음
△下（名)	7	xià	under; down	下の	아래
△下课	6	xià kè	class is over	授業が終わる	수업이끝나다
△下午	7	xiàwǔ	afternoon	午後	오후
△夏天	11	xiàtiān	summer	(季節の)夏	여름
△先	13	xiān	first	はじめに、先に	먼저,우선
△现代	5	xiàndài	modern	現代	현대
△现在	6	xiànzài	now	今	현재,지금
★馅儿	18	xiànr	stuffing	落とし穴	(떡,만두따위에넣는)소
△想	18	xiǎng	want to	〜したい、しようと思う	~하고싶다
○想念	27	xiǎngniàn	miss	懐かしむ、恋しがる	그립다
△小	9	xiǎo	small	(大きさなどが)小さい	작은
△小姐	9	xiǎojiě	miss	若い女性を呼ぶときに使う、〜さん	아가씨
△小时	23	xiǎoshí	hour	時間	~시간
★校园	8	xiàoyuán	campus; school yard	校庭	캠퍼스
○效果	28	xiàoguǒ	effect	効果	효과
△写	23	xiě	write	書く	쓰다
△谢谢	1	xièxie	thank you	ありがとう	감사합니다,고맙다

◇心意	17	xīnyì	regard;kindly feelings	心意	마음,성의
△新	14	xīn	new	新しい	새로운
△新年	26	xīnnián	new year	新年	신년,새해
△新鲜	25	xīnxiān	fresh	新鮮、新鮮である	신선하다
△信	26	xìn	letter	手紙	편지
△信封	26	xìnfēng	envelop	封筒	편지봉투
△星期	28	xīngqī	week	週	주,요일
星期三	12	xīngqīsān	Wednesday	水曜日	수요일
△星期天	13	xīngqītiān	Sunday	日曜日	일요일
△行	17	xíng	OK.	よろしい	좋다,동의한다
○行李	30	xíngli	luggage	荷物	여행짐
△幸福	20	xìngfú	happy	幸福、幸せである	행복하다
△姓	2	xìng	surname	苗字	이름의 성
△休息	21	xiūxi	have a rest	休憩、休憩する	쉬다
△需要	30	xūyào	need	必要とする	필요하다
△学	23	xué	study	学ぶ、勉強する	배우다
○学期	23	xuéqī	semester	学期	학기
△学生	1	xuésheng	student	学生	학생
△学习	16	xuéxí	study	勉強、勉強する	배우다
△学校	6	xuéxiào	school	学校	학교
△雪	11	xuě	snow	雪	눈
			Y		
△呀	8	ya	ah	〜です語尾の口調	조사(문장뒤에옴)
◇研究生	5	yánjiūshēng	graduate student	研究生	연구생,대학원생
△颜色	14	yánsè	color	色	색깔
△药	21	yào	medicine; drug	薬	약
△要	9	yào	want	〜したい、ほしい	원하다
◇钥匙	7	yàoshi	key	鍵	열쇠
○爷爷	10	yéye	grandfather	祖父、おじいさん	친할아버지
△也	2	yě	too	〜も	~역시,~도
△也许	28	yěxǔ	maybe	もしかしたら〜かもしれない	어쩌면,아마도
△夜	19	yè	night	夜	밤
△一	6	yī	one	1	하나,1
△一定	27	yídìng	by all means	一定の、必ず、きっと	일정하다,반드시
△一共	9	yígòng	altogether; in all	一緒に、合わせて	모두,전체,다
△一会儿	6	yíhuìr	in a moment	少しの間	잠시,잠깐
△一下儿	2	yíxiàr	*used after a verb to indicate a brief action*	ちょっと〜する、(試しに)〜してみる	한번,단번,잠시

△一般	10	yìbān	general; ordinary; usually	一般である、普通である	일반적인, 보통의
△一点儿	17	yìdiǎnr	a little	少し、少し～だ	조금, 약간
△一起	13	yìqǐ	together	一緒に	같이, 함께
△一直	15	yìzhí	always; all along	まっすぐ、ずっと	계속, 항상, 끊임없이
△衣服	13	yīfu	clothes	衣服	의복, 옷
△医生	20	yīshēng	doctor	医者	의사
△医院	20	yīyuàn	hospital	病院	병원
△已经	19	yǐjing	already	すでに～だ	벌써, 이미
△以后	15	yǐhòu	after	～の後で、～のあと	이후
△意见	24	yìjiàn	opinion	意見、不満、議論、文句	의견
没意见	24	méi yìjiàn	OK, I agree.	意見がない	동의한다
△音乐	3	yīnyuè	music	音楽	음악
音乐会	16	yīnyuèhuì	concert	コンサート	음악회
△应该	27	yīnggāi	should	～すべきだ	반드시~해야한다
△英文	30	yīngwén	English	英語	영어
硬座	29	yìngzuò	hard seat	(列車等の)硬い座席	일반(보통)석
△用	23	yòng	use	使う、使用する	사용하다
○用功	26	yònggōng	hard-working; study hard	一生懸命勉強する	열심히하다
△邮局	13	yóujú	post office	郵便局	우체국
△邮票	26	yóupiào	stamp	切手	우표
△游泳	11	yóuyǒng	swim	水泳、泳ぐ	수영(하다)
△有	5	yǒu	have	持っている、所有している	있다, 가지다
△有的	22	yǒude	some	ある(人、物)	어떤것, 어떤사람
○有点儿	14	yǒudiǎnr	a bit	少し、少し～だ	조금, 약간
△有名	7	yǒumíng	famous; prominent	有名、有名である	유명하다
△有些	28	yǒuxiē	some	いくらかの(事物)	일부, 어떤
△有意思	18	yǒuyìsi	interesting	面白い	재미있다
○又	16	yòu	again	また	또, 다시, 거듭
○右边	4	yòubian	the right	右の方、右側	오른쪽
△雨	11	yǔ	rain	雨	비
△语法	23	yǔfǎ	grammar	文法	어법
△月	21	yuè	month	月	달
○阅读	28	yuèdú	reading	読む、購読、読解	읽기
Z					
△再	9	zài	again; once more	もう一度	다시, 재차
再	26	zài	then	(～になって)それから	이이상~한다면
△在	4	zài	be in	～にいる	있다, ~에
△在 (副)	12	zài	indicating an action in progress	～している(現在進行を表す)	지금~하고있다

△咱们	13	zánmen	we; us	私たち	우리
△脏	14	zāng	dirty	汚れている、汚す	더럽다
○糟糕	29	zāogāo	too bad	しくじる、だめになる	엉망이다, 망치다
△早	6	zǎo	early	(時間等が)早い	이른
△早饭	24	zǎofàn	breakfast	朝ごはん	아침식사
△早上	6	zǎoshang	morning	朝	아침
早睡早起	19	zǎo shuì zǎo qǐ	early to bed and early to rise	早寝早起き	일찍자고일찍일어나다
△怎么	8	zěnme	how	どう、どんな	어떻게, 어째서
△怎么样	11	zěnmeyàng	how about	どの様な	어떠하냐, 어떻게, 어떠하다
△展览	24	zhǎnlǎn	exhibition	展覧、展覧する	전시하다
△张	29	zhāng	*a measure word*	(平らな物を数える)量詞	~장(양사)
△着急	23	zháojí	feel anxious	急ぐ	조급해하다, 안달하다
△找	24	zhǎo	meet; look for	探す、捜す	찾다
○照片	10	zhàopiān	photograph; picture	写真	사진
△这	3	zhè	this	この	이
△这个	29	zhè ge	well (to indicate hesitation)	これ	이, 이것
△这么	19	zhème	so	どんな、どういう、どの様な	이러한, 이와같은, 이렇게
△这儿	4	zhèr	here	ここ	여기
△这些	9	zhèxiē	these	それら	이런것들, 이러한
△这样	10	zhèyàng	like this; this way	この様な、この様に	이렇다, 이와같다, 이렇게, 이래서
△真	17	zhēn	really	本当に	진짜이다, 진실이다
★整天	30	zhěngtiān	whole day	まる一日	온종일, 하루종일
★整整	26	zhěngzhěng	wholly	まるまる、ちょうど、かっきり	온전한, 꼬빡
△正	13	zhèng	just	ちょうど	곧다, 바르다 마침, 곧, 딱, 바로
△正在	12	zhèngzài	in process of	ちょうど~している (現在進行を表す)	마침(~하고있는중이다)
△知道	4	zhīdào	know	知っている	알다
△只	10	zhǐ	only	ただ~、~だけ	단지, 다만, 오직
△只好	26	zhǐhǎo	have to	~する以外ない、~するしかない	부득이
○质量	13	zhìliàng	quality	質量	질량
△中文	5	Zhōngwén	Chinese	中国語	중국어, 중문
△中午	12	zhōngwǔ	noon	正午	점심, 정오
○中心	13	zhōngxīn	center	真ん中、センター	중심

◇中	30	zhòng	be hit by	中(の)、中級(の)	맞히다, 명중하다 가운데
○终于	29	zhōngyú	after all	ついに、とうとう	결국, 마침내
△钟头	23	zhōngtóu	hour	時間	시간
△种	18	zhǒng	kind	種、種類	종류, 종
△重要	18	zhòngyào	important	重要、重要である	중요하다
◇周末	8	zhōumò	weekend	週末	주말
△主意	15	zhǔyi	idea	考え	취지, 생각, 의견
△住	20	zhù	live	住む	살다, 거주하다
△祝	24	zhù	wish	祝う、祈る	빌다, 축원하다
○抓紧	27	zhuā jǐn	grasp	つかむ、つかまえる	쥐다, 잡다
○专业	5	zhuānyè	specialized subject	専門	전공
△准备	15	zhǔnbèi	prepare	準備、準備する	준비하다
△自己	12	zìjǐ	oneself	自分、自分で	자기자신
△自行车	7	zìxíngchē	bicycle	自転車	자전거
△走	8	zǒu	go; walk	行く、歩く	가다, 걷다
△足球	21	zúqiú	football	サッカー	축구
△最	11	zuì	most	もっとも〜、一番〜	가장
○最好	21	zuìhǎo	had better	一番良い	가장좋다, 제일좋다 가장바람직한것은
○醉	22	zuì	drunk	酔う、酔っぱらう	취하다
△昨天	14	zuótiān	yesterday	昨日	어제
○左边	4	zuǒbian	the left	左の方、左側	왼쪽
○作文	23	zuòwén	essay	作文、文を書く	작문, 글을짓다
△作业	12	zuòyè	homework	宿題	숙제
△坐	17	zuò	sit	座る	앉다, 타다
△做	12	zuò	to do	〜をつくる、〜する	~하다
○做客	17	zuò kè	be a guest	人を訪問する、客になる	손님이되다, 방문하다
○做梦	20	zuò mèng	have a dream	夢を見る	꿈을꾸다